VRAI OU FAUX : LES IDÉES REÇUES EN MÉDECINE

—

Emma Strack

CHÊNE

Préface

~~~~~~

La consultation est un face-à-face. Un médecin, sachant, et un patient, plutôt impatient et souvent stressé à l'idée du diagnostic.

Si le médecin a longuement étudié, le patient tente de rattraper le coup à grand renfort de sites et forums Internet et en se reposant sur des certitudes qui se transmettent. D'ailleurs, on n'a pas attendu Internet : certaines idées sont ancrées dans les esprits depuis toujours.

C'est là que le travail de la journaliste intervient. À l'époque des faits alternatifs – les fameuses *fake news* –, Emma envisage son travail comme une invitation au doute et à l'esprit critique. Pour elle, il faut tout interroger, même ce qui a l'air anodin, même le quotidien. Chaque semaine au *Magazine de la santé*, elle décortique pour les spectateurs les absurdités parfois dangereuses qui circulent en ligne et nous avons écrit ensemble plusieurs livres, dont un consacré aux arnaques et aux erreurs médicales qui ont jalonné l'histoire de la médecine.

Cette fois-ci, elle s'attaque seule aux idées reçues. Enfin, seule... Pas tout à fait ! Elle se penche sur des études, parcourt des ouvrages spécialisés, échange avec des professionnels pour parler de ces idées si répandues dans les conversations qu'elles sonnent comme des évidences. Ici, pas de grands mots mais des textes simples au service d'une information éclairée.

Et puis, si votre belle-mère est persuadée que c'est cette nuit de pleine lune que naîtra la huitième merveille du monde, que votre frère assure qu'il n'y a rien de tel qu'une bière fraîche pour se désaltérer et que votre esthéticienne vous l'assure : si vous vous rasez, les poils repousseront plus dru... vous aurez de quoi leur répondre et les énerver par vos références scientifiques. Et briller dans les dîners, accessoirement, ça augmente l'estime de soi... Pourquoi se priver ?

Bonne lecture.

Michel Cymes

Introduction

On les assène souvent comme des vérités : « les heures comptent double avant minuit » et « manger du poisson, c'est bon pour la mémoire ».

Parfois, c'est une affaire de transmission : enfant, on a entendu que « la soupe, ça fait grandir », et on le répète, quelques années plus tard, à ses propres enfants, qui, n'en doutons pas, prolongeront la chaîne intergénérationnelle, ancrant un peu plus, à leur tour, la formule comme une certitude. D'autres fois encore, la rumeur se répand, teintée d'angoisse : il paraît que « les moustiques peuvent transmettre le sida » et que, surtout, « il ne faut jamais réveiller un somnambule ». Si *on* le dit, si tout le monde se partage l'information, c'est qu'elle doit être vraie, car il n'y a pas de fumée sans feu !

Mais une information ne devient pas vraie à force d'être répétée, et la rumeur n'est pas la vérité. Cet ouvrage a donc pour vocation d'interroger les idées reçues pour tenter de démêler le vrai du faux, ou en tout cas d'y voir plus clair. Parce que la logique n'amène pas toujours à la vérité. Parce que les lobbies savent faire passer leur communication pour de l'information. Et finalement parce que l'esprit critique est une forme précieuse d'intelligence, utile bien au-delà des idées reçues, et que nous devons l'exercer sans cesse, de plus en plus. C'est aussi le sens que je donne à mon activité de journaliste.

Pour réaliser cet ouvrage, il a d'abord fallu répertorier les idées reçues, en se concentrant ici sur celles qui ont trait au corps et à la santé. Rien de plus simple, en réalité, tant elles sont omniprésentes dans nos conversations ! Il s'agissait simplement de les entendre à nouveau, de ne pas les laisser passer inaperçues, pour les consigner. Elles se répandent aussi en ligne et dans les cabinets médicaux. Résultat : en quelques jours, la liste était déjà très longue, et le travail d'enquête pouvait commencer, pour remonter l'histoire de ces idées reçues, tenter d'en comprendre les ressorts et, finalement, savoir si elles étaient pertinentes ou trompeuses.

Évidemment, ce livre a été rédigé à partir des connaissances actuelles. Cependant, rien n'est figé : les études se succèdent, la compréhension du corps humain se fait de plus en plus précise et c'est ainsi que les sciences et la médecine avancent.

Au regard de notre savoir actuel donc, il est étonnant de constater à quel point on accepte et transmet des idées fausses... Il est d'ailleurs fort probable que vous arrêtiez les cures de vitamine C pour prévenir les petits virus de l'hiver après la lecture de ce livre !

Emma Strack

Sommaire

~~~

01

BIEN DANS
SON ASSIETTE

—

Alimentation et nutrition

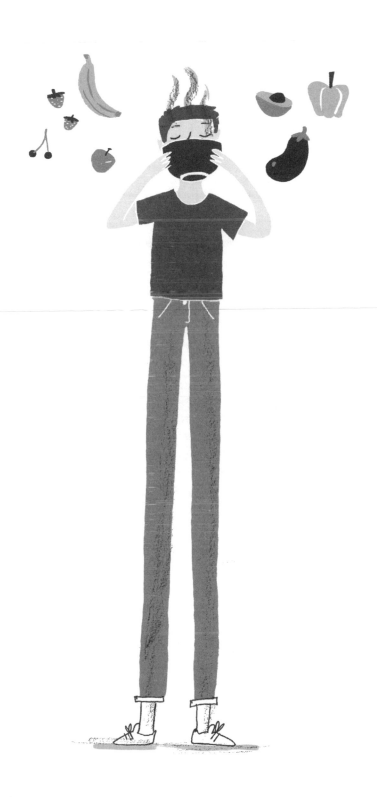

Il faut manger 5 fruits et légumes par jour

VRAI *mais...*

Impossible qu'un Français ait échappé à ce message sanitaire. De même, tout le monde a bien compris qu'il fallait arrêter de manger trop gras, trop salé, trop sucré : même les publicités le rappellent !

UN ATOUT POUR LA SANTÉ

Ces recommandations sont adressées par le Programme national Nutrition Santé, une initiative publique visant à améliorer l'état de santé de la population française en l'incitant à mieux s'alimenter, tout en pratiquant une activité physique régulière. On sait qu'une bonne nutrition permet de limiter le risque de développer des pathologies comme l'obésité, les maladies cardio-vasculaires, le diabète de type 2 ou encore certains cancers. En effet, des études ont montré que les fruits et légumes, riches en vitamines, minéraux, antioxydants et fibres, avaient un rôle protecteur dans la prévention de ces maladies : d'où le message sanitaire qui nous invite à en consommer 5 par jour. L'idéal est de varier la sélection au fil des jours car chaque espèce apporte des éléments nutritifs spécifiques.

PLUTÔT 5 PORTIONS

Cinq fruits et légumes : cela paraît simple, sans l'être tout à fait. Le raisin est un fruit, au même titre que le melon. Pour autant, rien ne vous étonne en les imaginant côte à côte ? On peut renouveler la question avec d'autres duos : haricot vert/courge butternut, radis/concombre, myrtille/ananas... Certains fruits ou légumes sont bien plus petits que d'autres, cela saute aux yeux ! Dès lors, la quantité de fibres, minéraux et vitamines varie logiquement selon la taille du fruit ou du légume.

Appliquer la règle des 5 fruits et légumes par jour au pied de la lettre n'aurait donc aucun sens. Si l'on mange un petit pois, une framboise, une tomate cerise, une groseille et une mûre, le contrat n'est pas rempli. En réalité, le message sanitaire renvoie à 5 portions de fruits et légumes, une portion correspondant à l'équivalent de 80 à 100 g, soit la taille d'un poing ou la contenance de 2 cuillères à soupe pleines. On s'y retrouve avec une poignée de haricots verts, une pomme ou un bol de soupe.

PUR FRUIT

Car ces 5 fruits et légumes par jour peuvent être consommés sous toutes les formes : frais, en conserve, surgelés, crus, cuits ou en jus. Mais attention : un jus de fruit acheté dans le commerce doit porter la dénomination « pur jus » ; s'il s'agit d'un nectar ou d'un soda, il apportera davantage de sucres que de fibres, et n'entre pas dans la catégorie « fruits et légumes ». Même chose pour le yaourt aux fruits : il ne compte pas ! La recommandation officielle est établie à 5 fruits et légumes, mais c'est un minimum, les experts en conviennent. On peut donc augmenter la dose en toute bonne conscience.

Pour plus de conseils et quelques idées de menus ou de recettes : www.mangerbouger.fr.

~~~~~

CINQ, C'EST BIEN… DIX, C'EST ENCORE MIEUX !

D'après une étude publiée par l'Imperial College de Londres, il faudrait manger encore plus de fruits et légumes pour éviter des millions de morts prématurées dues à des crises cardiaques et à des cancers. Selon les chercheurs, il faudrait doubler la mise et consommer 800 g de fruits et légumes par jour, soit l'équivalent de 10 portions, pour un bénéfice santé optimal.

La soupe
fait grandir

C'est certainement l'argument ultime employé par les parents face à des enfants grimaçant devant un bol de soupe verdâtre. Brocolis ? Courgettes ? Poireaux, carottes et navets ? Bien souvent, les enfants aimeraient déjà être plus grands... Certainement, en partie, pour ne plus se voir forcés d'avaler des mets qui ne leur font pas envie... Il faudrait donc, pour grandir, manger de la soupe ? C'est ça, le secret pour pousser ?

Si tu as moins de 15 ans et que tu es en train de lire ces lignes, tu pourras expliquer à tes parents que la soupe ne fait pas plus grandir que du fromage, une tranche de pain, une salade de fruits ou une omelette. En réalité, il faut manger un peu de tout cela pour ingérer tous les nutriments dont l'organisme a besoin pour bien se développer, pour éviter les carences et, finalement, grandir correctement.

Et encore, on ne parle ici que de nourriture, mais, pour bien grandir, il faut aussi bien dormir, puisque c'est pendant le sommeil qu'est sécrétée l'hormone de croissance. Enfin, il faut de la patience ! Et ne prétends pas qu'il faut manger beaucoup de bonbons pour bien grandir : tes parents ne te croiront pas, et cette fois, ils auront raison !

Les épinards, riches en fer, rendent fort !

FAUX

À peine avez-vous lu le titre de cette page que vous voyez déjà Popeye, marin et mari d'Olive, appuyer sur le fond de sa boîte de conserve pour en faire sortir les épinards, qui atterrissent directement dans sa bouche. Aussitôt avalés, le miracle se produit : voilà tout le corps du personnage galvanisé par la force, comme en témoignent ses biceps gonflant à vue d'œil.

Popeye ne fait que relayer l'idée selon laquelle les épinards, riches en fer, donneraient des forces à l'organisme. Seulement voilà, cette idée ne repose sur rien d'autre qu'une erreur rédactionnelle dans un tableau consacré à la composition des aliments, rédigé aux alentours de 1890. Ainsi, il aura suffi qu'une petite virgule se déplace d'un chiffre vers la droite pour que les épinards soient crédités de dix fois plus de fer qu'ils n'en contiennent en réalité !

L'erreur n'a pas été repérée tout de suite, d'où la légende de Popeye et cette idée tenace selon laquelle il faut manger des épinards pour absorber du fer. Mais dans les années 1930, un chimiste allemand s'en aperçoit. Trop tard : l'idée reçue continue à circuler.
On sait aujourd'hui que, dans la réalité, d'autres aliments contiennent davantage de fer que les épinards. Ainsi, on conseille aux femmes enceintes, dont les besoins en fer augmentent pendant la grossesse, de consommer du poisson et de la viande, particulièrement du boudin noir, mais aussi des légumes secs, tels que les lentilles, les haricots blancs et les pois chiches.

Un homme a besoin de 2 000 calories par jour, une femme 1 800

VRAI mais...

Dis-moi ce que tu manges, je te dirai comment tu vas. Voilà en substance la formule qui résume l'importance de manger équilibré et en quantité raisonnable, pour optimiser les chances de garder la santé. Ainsi, il est recommandé de consommer 5 fruits et légumes chaque jour (voir page 10), trois produits laitiers, de la viande, des œufs ou du poisson une à deux fois par jour, et des féculents à chaque repas. Quant au sel, aux produits sucrés et matières grasses, mieux vaut en limiter la consommation. Et tout cela, dans la limite de 2 000 calories pour un homme et 1 800 pour une femme.

DES MOYENNES... AU CAS PAR CAS

On aura bien compris que la santé est dans l'assiette. D'ailleurs, celui que l'on tient pour le père de la médecine, Hippocrate, estimait déjà bien avant notre ère que l'alimentation était notre premier médicament. Entendez par là la première façon de prendre soin de sa santé.

Aujourd'hui, on retient qu'il faut éviter de manger trop gras, trop salé, trop sucré, et qu'il faut s'alimenter en quantité raisonnable, ce qui correspondrait à une dose de 1 800 calories quotidiennes pour une femme contre 2 000 pour un homme. Un nutritionniste peut évoquer la quantité de 1 600 à 1 800 pour une femme et de 2 000 à 2 200 pour un homme, tandis que l'INSERM, qui relaie les recommandations de l'Agence nationale de sécurité sanitaire de l'alimentation, de l'environnement et du travail (ANSES), fixe une fourchette de 1 800 à 2 200 pour une femme et de 2 400 à 2 600 pour un homme. On l'aura compris : il s'agit là de moyennes. Des chiffres à adapter selon la corpulence et l'activité de chacun. Ainsi, une personne âgée consommera moins de calories alors qu'un sportif de haut niveau aura de plus gros besoins, en adéquation avec sa masse musculaire.

L'ÉQUILIBRE DES APPORTS

Outre le nombre de calories, la répartition des apports compte tout particulièrement. Ainsi, la part des glucides doit représenter environ 55 % des apports nutritionnels quotidiens, les lipides de 30 à 35 %, et les protéines de 10 à 15 %. Là encore, il s'agit de moyennes à adapter à chacun. Pas question de piocher ses calories dans une seule de ces catégories. On se méfie aussi des sites et applications qui proposent de compter mathématiquement les calories ingérées, et l'on se souvient qu'il est tout aussi important de manger équilibré et diversifié. C'est le meilleur moyen d'éviter les carences en fer, en calcium et en vitamines. On oublie aussi les fausses promesses selon lesquelles on pourrait éliminer un plat de spaghettis à la sauce bolognaise en s'offrant un footing. En revanche, on garde bien en tête que l'activité physique régulière, même modérée, est excellente pour la santé : entre les apports et la dépense énergétique, on trouve l'équilibre !

GLUCIDES, LIPIDES, PROTÉINES

Les glucides correspondent aux sucres et représentent une source énergétique rapidement mobilisable. Ils recouvrent le glucose, le fructose et le lactose. On les retrouve ainsi dans le lait, les fruits, le pain...

Les lipides représentent les acides gras, que l'on trouve dans l'huile, la crème, le beurre, mais également dans la viande et le poisson.

Les protéines sont d'origine animale (œufs, poisson, viande, produits laitiers) ou végétale (légumineuses, céréales, soja).

L'ananas
brûle les graisses

~~~~~~

FAUX

Dans la famille des fruits et légumes possédant un super-pouvoir, je demande l'ananas ! L'idée selon laquelle certains aliments naturels seraient dotés de pouvoirs surnaturels circule dans les livres, sur les sites Internet, ou encore dans les conversations.

Ainsi, l'aubergine, le son d'avoine, les légumes verts et l'ananas sont réputés capables de brûler les graisses. Formidable, n'est-ce pas ? Plus besoin d'envisager un régime, il faudrait, tout simplement, manger ces aliments ! Cerise sur le gâteau allégé des promesses minceur : l'ananas est aussi présenté comme un anticellulite, contenant une « enzyme mangeuse de graisse », comme on peut le lire en ligne.

On se prend à rêver d'engloutir un éclair au chocolat, sitôt éliminé par l'absorption d'une tranche d'ananas... Les services marketing des boutiques dédiées au bien-être ont même inventé des cures minceur reposant sur l'ingestion de gélules, d'ampoules et d'autres solutions à boire à base d'ananas. Malheureusement, ces cures risquent davantage d'alléger votre porte-monnaie que de faire fondre votre cellulite.

La substance grâce à laquelle l'ananas jouit de cette réputation de brûle-graisse est une enzyme, la bromélaïne, qui aiderait à digérer les protéines. Seulement voilà, l'EFSA, l'Autorité européenne de sécurité des aliments, a fait le tri parmi les allégations santé de nombreux produits et en a conclu que la bromélaïne n'avait aucun pouvoir particulier sur le poids ou la cellulite. Oui, oui, c'est bien le moment de reposer cet éclair au chocolat : votre tranche d'ananas ne pourra pas lutter !

Le gingembre est aphrodisiaque

On pourrait se mijoter un bon repas avec tous les aliments réputés aphrodisiaques : des huîtres pour commencer, puis des asperges et du céleri autour d'un plat relevé au safran et à l'ail, et, pour finir, du chocolat. Sans oublier le gingembre, qui se marie à toutes les sauces, sucrées ou salées, et aurait le pouvoir de booster la libido. Vous en reprendrez bien un peu ?

Voilà une idée reçue aussi répandue que difficile à démontrer. En effet, la seule idée de mener une étude sur la question amène un tas de questions : quelle dose de gingembre ? Pour quel effet ? Et comparé à quoi ? Tout cela en sachant que le désir sexuel est loin d'être standardisé d'une personne à l'autre... Nous manquons de preuves scientifiques sur le sujet, même si certains travaux et témoignages vont dans ce sens, affirmant que la consommation de gingembre influe sur le désir.

Si le lien consommation-libido est difficile à établir, on peut imaginer que le gingembre a un impact sur le désir sexuel par une voie indirecte. On le présente, en effet, comme un aliment vasodilatateur, qui a donc la propriété de dilater les vaisseaux sanguins. De ce fait, il favorise la circulation sanguine, et peut-être l'afflux de sang qui rendra l'érection plus vigoureuse. Mais il ne s'agirait alors que d'une action mécanique qui ne concernerait que la moitié de l'humanité, puisque le gingembre n'aurait aucun effet sur les femmes. Conclusion : à vous de tester pour vous faire votre opinion. Ce qui est beaucoup plus clair, et que la science reconnaît, c'est l'action anti-inflammatoire du gingembre et sa faculté d'apaiser les nausées... C'est déjà beaucoup !

LE CHOCOLAT

Bingo ! En plus d'être bon sur les papilles, le chocolat pourrait également se prévaloir de nombreux bienfaits pour notre santé : moral, mémoire, libido, santé cardio-vasculaire… Qu'en est-il vraiment ? Et cela vaut-il pour tous les types de chocolat, blanc, au lait ou noir ?

IL A UN EFFET ANTISTRESS ET ANTIDÉPRESSEUR
Du magnésium au naturel

Son effet antifatigue et antidéprime, le chocolat le doit au magnésium que contient le cacao. En effet, le magnésium nous permet de lutter contre le stress (et le risque de diabète). Si notre organisme manque de magnésium, nous ressentons une baisse d'énergie, voire une sensation d'épuisement. Vous reprendrez bien un petit carré de chocolat ?

IL PROVOQUE UNE DÉPENDANCE
Faux !

Votre carré de chocolat, c'est sacré ! Impossible de vous en passer, pensez-vous… D'ailleurs, vous avez essayé, mais vous avez rapidement craqué. Êtes-vous devenu dépendant ? Le chocolat est-il une drogue ? Pas de panique, on n'a répertorié aucune substance addictive dans le chocolat. Peut-être est-il, pour vous, associé à un moment de sérénité. Dans ce cas, continuez, mais avec modération, sinon gare à l'écœurement !

IL EST BON POUR LA SANTÉ CARDIO-VASCULAIRE
Nos artères nous remercient !

Le chocolat noir est bon pour le cœur et, plus généralement, la santé cardio-vasculaire… Et c'est la Fédération française de cardiologie qui le dit ! Riche en antioxydants (les flavanols), il permet de diminuer la pression artérielle et a un effet anti-inflammatoire. Il favorise aussi l'élasticité des vaisseaux sanguins. Savourez bien votre carré de chocolat, après le repas !

IL DONNE DES BOUTONS
Rien d'inquiétant a priori

Aucune étude n'a démontré que le chocolat pouvait induire de l'acné, d'autant moins si vous en consommez 2 carrés par jour ! En revanche, le lait pourrait jouer un rôle, sans compter les susceptibilités individuelles... Évidemment, si vous constatez que le chocolat a un impact négatif sur votre peau, évitez-le !

IL PROVOQUE DES CRISES DE MIGRAINE
Ça se discute...

Selon des témoignages de migraineux, le chocolat ferait partie des aliments pouvant provoquer une crise, aux côtés du fromage et des boissons alcoolisées, tel le vin blanc. De là à déterminer l'origine de cet effet dans le chocolat... Rien ne sort très clairement des études. Deux substances issues du cacao émergent, sans certitude : la tyramine et la théobromine. La seconde agit sur le diamètre des vaisseaux sanguins, et l'on sait que les crises de migraine peuvent être liées à ces variations. Si les études et certitudes scientifiques manquent, les témoignages sont là.

IL EST APHRODISIAQUE
À vous de nous le dire !

En voilà une vertu difficile à démontrer ! Cette idée reçue est tenace, mais on manque d'études pour l'attester.

QUEL CHOCOLAT CHOISIR ?

- Le grand gagnant de cette page est le chocolat noir, riche en cacao. Car, en réalité, c'est dans le cacao que l'on puise tous les bienfaits du chocolat, notamment la réduction du risque d'AVC ou d'infarctus du myocarde. Mais il ne faut pas s'y tromper : une consommation régulière mais modérée, oui ; trop de gourmandise, non.
- Attention aussi au chocolat blanc et au chocolat au lait, qui risquent davantage de vous faire prendre du poids et d'augmenter votre taux de cholestérol.

Manger light,
ça fait maigrir

〜〜〜

FAUX

Au printemps, il n'y a pas que les jardins qui fleurissent : les publicités vantant des produits « allégés » se multiplient à l'approche de l'été. Des yaourts à 0 % de matière grasse aux sodas sans sucre, l'industrie alimentaire promet de nous servir sur un plateau un régime moins privatif qu'il n'y paraît. On pourrait continuer à manger du chocolat et des biscuits, à condition de les choisir light...

PAS SI LIGHT

Le light, c'est comme le « 0 % » ou les produits affichant une teneur réduite en sucre ou en graisse : des aliments allégés qui doivent entrer dans un cadre relativement strict et présenter une teneur en un nutriment ou une valeur calorique réduite d'un quart, au moins, par rapport à un produit de référence de la même catégorie. Ainsi, un fromage peut être allégé en matière grasse et un soda allégé en sucre. Dans ce cas, le sucre classique peut être remplacé par édulcorant : un produit d'origine naturelle ou de synthèse donnant une saveur sucrée sans qu'il s'agisse de sucre à proprement parler. Ainsi, l'aspartame, la stévia et la saccharine sont des édulcorants. Leur mission : apporter un goût sucré sans afficher la moindre calorie au compteur. Le graal pour les gourmands ou pour la prévention de certaines maladies comme le diabète de type 2 et l'obésité, pensez-vous ? Malheureusement, les édulcorants ne parviennent pas complètement à duper notre organisme : notre corps adapte sa production d'insuline, comme s'il s'agissait de sucre... Sauf que cela n'en est pas ! Pire : des chercheurs ont démontré que la consommation de boissons light favorise le risque de diabète. Parmi les enseignements de cette étude et ce que les nutritionnistes constatent en consultation, une personne peut avoir tendance à manger une plus grande quantité d'un aliment simplement parce qu'il est light.

Comme si cette seule mention laissait penser que puisqu'un yaourt affiche « 0 % », on peut en manger deux !

Si le produit allégé est clairement défini par sa valeur calorique ou sa teneur en un nutriment réduite de 25 % par rapport à un produit de référence, il subsiste une énorme ambiguïté, très délétère pour le consommateur : la législation ne prévoit pas que l'allégement concerne la totalité des nutriments contenus dans le produit. Ainsi, un yaourt peut être allégé en graisses et vendu comme un produit light alors même que sa proportion de sucre a été largement augmentée par rapport à un yaourt classique, défini comme produit de référence. Au final, ce yaourt dit « allégé » affiche le même nombre de calories que celui du yaourt de référence, voire plus !

ÉQUILIBRÉ PLUTÔT QUE LIGHT

Le light ne fait pas maigrir en soi. C'est une stratégie marketing qui a trouvé sa place dans une société où l'on recherche la minceur sans se priver du plaisir. C'est certain, 0 % de matières grasses ne signifie pas 0 % de calories. Le mieux reste certainement de consommer les produits classiques en quantité raisonnable. Un fruit contient du sucre, un yaourt contient des graisses. Et notre organisme a besoin de tout cela pour garder son équilibre.

~~~~~~~~

QUELQUES DÉFINITIONS OFFICIELLES POUR FAIRE LE POINT SUR LES ALLÉGATIONS NUTRITIONNELLES

Sans sucre : le produit ne contient ni saccharose ni sucre de table. Il peut contenir d'autres glucides simples ou/et des glucides complexes ou/et des édulcorants.
Allégé en sucre : teneur en sucre réduite d'au moins 25 % en poids par rapport à un aliment similaire classique.
Faible teneur en sucre : pas plus de 5 g de sucre pour 100 g ou 100 ml de produit.
Sans sucre ajouté : le fabricant n'a pas ajouté de sucre. Mais certains aliments en contiennent naturellement, comme les fruits. Il est aussi possible que d'autres produits encore contiennent un édulcorant.

Manger du poisson,
c'est bon pour la mémoire

VRAI mais...

Voilà bien une phrase que l'on imagine tout droit sortie de la bouche d'une grand-mère tentant désespérément de convaincre un enfant d'avaler ce filet de merlu en papillote sans avoir à passer par la case : «Finis ton assiette, ou tu n'auras pas de dessert.» C'est étonnant : cette grand-mère n'a jamais besoin d'utiliser un tel argument pour convaincre l'enfant de manger quelques carrés de chocolat, dont des chercheurs ont démontré l'action dans le ralentissement du déclin cognitif grâce au flavanol, une molécule présente dans la fève de cacao !

Mais avant d'aborder le sucré, revenons à notre poisson. D'après une idée reçue répandue, ce serait grâce au phosphore contenu dans le poisson que ce dernier œuvrerait pour notre mémoire. Certes, le phosphore est important pour le bon fonctionnement du système nerveux et des neurones, ainsi que pour les os, le sang, et les cellules en général. En somme, il est essentiel au bon fonctionnement de l'organisme. D'où l'importance de manger du poisson, pense-t-on ! Pourquoi pas ? On trouve en effet du phosphore dans le poisson… mais aussi dans la viande, les fruits oléagineux, le chocolat, les œufs, les légumineuses…

Alors pourquoi ce mythe autour du poisson et de la mémoire ? Loin du phosphore, cette idée reçue devient plus pertinente si l'on s'intéresse davantage aux oméga-3, ces acides gras polyinsaturés indispensables au bon fonctionnement du cerveau. En agissant sur les neurones, ils nous protègent notamment des maladies neurodégénératives. Or ces oméga-3 sont particulièrement présents dans les poissons gras, comme le saumon, le maquereau et la sardine. En ce sens, le poisson est bon pour le cerveau ! On trouve aussi ces oméga-3 dans, entre autres, la noix, l'huile de colza et l'huile de lin.

Le miel adoucit
les cordes vocales

~~~~~~

FAUX

Quelle sensation désagréable ! La gorge qui pique, qui gratte même, qui semble enflammée... Et, alors que l'on a mal, la voix disparaît. D'abord, elle se fragilise – se casse, comme on dit –, puis, parfois, plus aucun son ne sort de la bouche et c'est en chuchotant que l'on communique avec les autres. C'est à ce moment-là que l'idée vient de consommer du miel pour adoucir ses cordes vocales douloureuses. Et si l'on ajoutait du citron à la recette ?

Il s'agit là d'une astuce de grand-mère largement répandue. On ne risque pas grand-chose à la tester, mais cela n'aura aucun effet sur les cordes vocales, pour la simple raison que ces dernières n'entrent jamais en contact avec les aliments que l'on ingère. Heureusement, d'ailleurs ! Situées à l'entrée de la trachée, les cordes vocales vibrent avec l'air que l'on inspire. Or, si les aliments passaient par là, on s'étoufferait !

Il y a donc peu de chances que le miel ou tout autre aliment ait un effet direct sur la voix. Après la digestion, éventuellement, par les échanges sanguins, mais c'est évidemment difficile à démontrer... Il est donc plus probable que le miel apaise le mal de gorge. Et si, par ricochet, on ressent un « mieux » au niveau de la voix, c'est le principal !

Il y a de plus en plus de personnes intolérantes au gluten

Il suffit de se promener dans un hypermarché pour le constater : les produits *gluten free* envahissent les linéaires. Depuis quelques années, on y trouve de plus en plus de références : des pâtes, du pain, des biscuits ! Les services marketing des groupes agroalimentaires se frottent les mains à mesure que le consommateur, autoproclamé intolérant, modifie son alimentation, en partie encouragé par les articles consacrés au sujet dans la presse dédiée au bien-être.

OÙ TROUVE-T-ON LE GLUTEN ?

Le gluten est une substance contenue dans différentes céréales, comme le blé, l'épeautre, l'orge ou le seigle. D'après la définition du Larousse, le gluten joue un rôle important dans le gonflement de la pâte lors de la fabrication du pain. Compte tenu des céréales concernées, on trouve traditionnellement du gluten dans la farine, et donc, par extension, dans les produits qui en contiennent, comme les pâtes ou les biscuits secs, salés ou sucrés. Seulement voilà, depuis quelques années, le drapeau rouge est hissé. Le gluten serait la cause de nombreux désordres intestinaux et de crampes d'estomac.

L'INTOLÉRANCE, LA MALADIE CŒLIAQUE

Si l'intolérance au gluten existe bien, il s'agit d'une pathologie très précise et bien connue des spécialistes que l'on appelle la maladie cœliaque : une maladie chronique et inflammatoire qui affecte l'intestin grêle et se déclare après l'absorption de gluten. Si l'on en connaît mal les causes, on estime qu'elle touche surtout les personnes qui y sont génétiquement prédisposées. Il s'agit d'une maladie auto-immune, c'est-à-dire que le système immunitaire du patient dysfonctionne et se retourne contre l'organisme, en réagissant à la présence d'une protéine contenue dans le gluten par la production d'anticorps.

L'idée reçue selon laquelle la population intolérante au gluten serait toujours plus nombreuse repose certainement sur le caractère flou des symptômes. Parfois, le malade ne déclare aucun symptôme pendant des années. Dans d'autres cas, il est épuisé, anémié, il perd du poids, souffre de diarrhée chronique et de douleurs abdominales. C'est ce dernier symptôme, un classique des troubles digestifs légers, qui suscite souvent le doute : les personnes qui ne souffrent pas réellement d'intolérance au gluten décrivent des crampes d'estomac ou une certaine pesanteur après avoir ingéré la substance, ce qui les amène à s'autoproclamer intolérantes.

Mais la maladie cœliaque, ce ne sont pas des ballonnements. Il ne s'agit pas non plus d'une indigestion passagère. À force d'être stimulé par l'ingestion de gluten, le système immunitaire du malade va créer des lésions sur la paroi de l'intestin. Au fil du temps, la digestion ne s'opère plus correctement, et l'organisme n'assimile plus correctement certains nutriments, comme le fer, le calcium, les minéraux et certaines vitamines. En Europe, on estime entre 0,7 % et 2 % la proportion de personnes touchées par la maladie cœliaque. Si la tendance générale est à la hausse, du fait de la diffusion mondiale du blé dans des contrées qui n'en consommaient pas jusqu'alors, il n'y a pas d'augmentation du nombre de malades sous nos latitudes.

LA SUSCEPTIBILITÉ AU GLUTEN

On peut, en revanche, imaginer qu'il s'est produit un simple glissement sémantique. L'intolérance au gluten, cette maladie cœliaque que l'on vient de décrire et qui désigne une pathologie bien réelle, peut être considérée comme une véritable allergie à cette substance. Résultat : les personnes qui digèrent mal cette substance, loin d'être allergiques, se sont appropriées le terme « intolérance », qui, en réalité, n'est pas adapté. Il serait plus juste d'évoquer une susceptibilité au gluten, probablement liée aux traitements intensifs infligés aux céréales par les groupes industriels. Si vous vous sentez concerné, limitez donc votre consommation et préférez les produits artisanaux aux fabrications industrielles.

La bière,
ça désaltère

~~~~~

FAUX

Nous sommes en plein été, sur une terrasse ensoleillée. La journée de travail est terminée et, pour savourer le début de cette soirée entre amis, la plupart des convives commandent une bière. Ils ont soif et pensent ainsi se désaltérer. Le serveur apporte des verres bien frais – des gouttelettes d'eau ruissellent sur leur paroi extérieure. Le fait de tenir l'un de ces verres dans sa main et de le porter à ses lèvres procure déjà un soulagement ! La bouche est ainsi rafraîchie… mais le buveur certainement pas désaltéré.

Dans un premier temps, la bière est agréable et satisfaisante à boire car elle calme la soif. Mais c'est une illusion : elle ne peut, en aucun cas, participer à l'hydratation. Petit rappel : la bière contient de l'alcool. Or l'alcool bloque la production de vasopressine, une hormone antidiurétique qui contribue à la régulation de l'absorption et de l'élimination de l'eau par l'organisme. Quand l'action de cette hormone est inhibée, comme c'est le cas sous l'effet de l'alcool, on a davantage envie d'uriner que d'habitude. Or, quel que soit le volume d'eau contenu dans cette boisson alcoolisée, on l'élimine, ce qui ne favorise pas, au bout du compte, l'hydratation de l'organisme, bien au contraire !

Lorsque, au lendemain d'une soirée arrosée, on se réveille avec la gueule de bois, on ressent souvent les symptômes de la déshydratation : bouche sèche, maux de tête, sensation de soif. Pour étancher celle-ci, mieux vaut passer à l'eau claire, elle est bien plus efficace que la bière !

Le vin est bon
pour le cœur et les artères

~~~~~

FAUX

Voilà un joli paradoxe, bien français : d'un côté, les autorités de santé communiquent sur l'importance d'une consommation d'alcool limitée pour réduire le risque de développer certaines maladies et, d'un autre côté, on diffuse volontiers les conclusions d'études évoquant un effet bénéfique du vin sur la santé. Qu'en est-il ?

Pour y voir clair, arrêtons-nous un instant sur les polyphénols tant vantés : cette substance que l'on trouve dans le vin aurait des vertus antioxydantes. Hourra ! On peut se faire plaisir et se faire du bien en même temps – les professionnels du vin en ont certainement rêvé ! Malheureusement, entre la théorie et la pratique, il y a souvent un fossé. Les polyphénols sont-ils correctement absorbés par l'estomac ? Une consommation de vin limitée procurerait-elle une quantité suffisante de la substance pour bénéficier de ses effets antioxydants ? Les études sèment le doute, et finalement, rien n'est moins sûr.

Si certaines ont tenté de démontrer l'intérêt d'une très faible consommation d'alcool sur le risque cardio-vasculaire, cet effet devient nul dès lors que la consommation augmente, et surtout, les études ne tiennent pas compte de l'impact de cette même consommation sur la santé, envisagée plus généralement, et notamment sur le risque de cancer. C'est problématique car on ne peut pas dissocier les risques quand on parle de santé ! Ainsi, malgré la présence de substances antioxydantes dans le vin et la bière, aucune boisson alcoolisée ne peut être considérée comme bonne pour la santé.

Je ne supporte plus le lait, je suis devenu allergique

S'agit-il d'un effet de mode? Tout comme le gluten (voir page 24), le lait de vache est actuellement dans la ligne de mire des consommateurs, qui sont de plus en plus nombreux à s'y déclarer allergiques. Et puisque le lait fait partie de notre régime alimentaire occidental, certains le troquent contre d'autres boissons au nom similaire, comme le lait de chèvre ou de brebis, ou encore les boissons de riz, de soja, d'amande, que l'on ne peut plus officiellement appeler « lait » mais qui en conservent les usages de consommation.

LA VÉRITABLE ALLERGIE

Et cette épidémie d'allergies, est-elle bien réelle? Les personnes concernées évoquent des nausées et des maux d'estomac. Mais l'allergie à proprement parler ne relève pas d'un simple désordre gastrique passager. Il s'agit d'une réaction immunitaire pathologique à un aliment, en l'occurrence la protéine de lait, chez un individu prédisposé génétiquement. Comme si l'organisme de cette personne considérait l'aliment en question, alors dit allergène, comme une substance à combattre. Comme s'il ne le supportait plus. Confronté à cet allergène, le système immunitaire produit des anticorps et la réaction allergique se manifeste. Les symptômes peuvent affecter la peau, le système respiratoire ou le système digestif, jusqu'à induire des réactions générales de l'organisme très graves, et parfois fatales, comme le choc anaphylactique. C'est pourquoi, lorsque l'allergie est avérée, on exclut les protéines de lait de vache de l'alimentation du nourrisson tout en lui apportant les nutriments dont il a besoin (le calcium, notamment) par d'autres voies.

Cette allergie aux protéines de lait ne touche cependant que 3,5 % de la population, et concerne particulièrement les très jeunes enfants durant les 6 premiers mois de la vie, la plupart d'entre eux en guérissant entre l'âge de 2 et 5 ans. Il est donc très rare que des adultes en soient affectés. Les personnes décrivant des symptômes après l'ingestion de produits laitiers seraient-elles des affabulatrices ? Évidemment non ! Mais l'erreur vient probablement d'une confusion sémantique entre l'allergie aux protéines de lait de vache, que l'on vient d'évoquer, et l'intolérance au lactose.

L'INTOLÉRANCE AU LACTOSE

Le lactose est le sucre contenu dans le lait et dans ses produits dérivés. Pour être digéré, il nécessite une enzyme, la lactase, normalement produite par l'intestin. Quand ce n'est pas le cas ou quand la lactase n'est pas produite en quantité suffisante, le lactose n'est pas digéré correctement et finit par fermenter dans le côlon sous l'action de bactéries, ce qui peut provoquer des douleurs, des gaz et des diarrhées. À l'inverse de l'allergie aux protéines de lait, l'intolérance au lactose est très rare chez l'enfant, mais elle se développe avec l'âge, devenant ainsi plus fréquente chez l'adulte. Si les symptômes sont désagréables, cette intolérance ne présente pas de risques de complications.

Pour en avoir le cœur net, évitez de consommer tout produit laitier pendant 2 semaines et voyez si les symptômes régressent ou non. Dans le premier cas, il peut s'agir d'une intolérance ou d'une susceptibilité passagère, suite à une gastro-entérite, par exemple. N'hésitez pas à en parler à votre médecin, qui pourra vous proposer un test. Et si l'intolérance est avérée, n'oubliez pas de vous supplémenter en calcium.

IL FAUT CONSOMMER 3 PRODUITS LAITIERS PAR JOUR

C'est une moyenne ! Le graal des produits laitiers, c'est le calcium qu'ils contiennent. Un minéral essentiel à la croissance des plus jeunes et nécessaire pour conserver des os solides. Ainsi, le Programme national Nutrition Santé suggère de consommer 3 produits laitiers par jour, jusqu'à 4 pour les enfants et les seniors. Par « produits laitiers », on entend le yaourt, le fromage et le fromage blanc. Si la crème et le beurre sont fabriqués à partir du lait, ils sont surtout considérés comme des produits gras, et la crème glacée comme un aliment sucré.

UN HEUREUX ÉVÉNEMENT

–

Grossesse et naissance

Il y a plus d'accouchements les nuits de pleine lune

FAUX

C'est presque une tradition : quand le terme de leur grossesse approche, les futures mamans peuvent souvent compter sur une mère, une belle-mère, une grand-mère ou une tante qui aura scruté le calendrier lunaire et saura lui indiquer la date de la prochaine pleine lune. Comme si, évidemment, cela déterminait la date de l'accouchement ! D'ailleurs, les témoignages de femmes ayant accouché une nuit de pleine lune abondent : à la maternité, c'était la panique, racontent-elles !

LA LUNE ET LES EAUX

D'où vient donc cette croyance populaire selon laquelle la pleine lune aurait le pouvoir de provoquer l'accouchement ? Aujourd'hui, deux hypothèses sont avancées. La première suggère un parallèle entre le cycle lunaire, estimé à quelque 29 jours et demi, et le cycle menstruel. La seconde hypothèse rappelle que la lune exerce une influence directe et avérée sur l'eau terrestre, à travers la marée. Or le corps humain est majoritairement constitué d'eau : en moyenne, 65 % dans un organisme adulte. Le fœtus évoluant dans un sac amniotique, lui aussi rempli d'eau, la pleine lune aurait un effet sur cette poche d'eau, comme elle en a sur les océans. Elle pourrait donc stimuler la rupture de la poche des eaux, qui devance de peu la naissance du bébé.

DES RECHERCHES PEU CONCLUANTES

Voilà pour le sophisme. Passons maintenant à la science. Une légende aussi ancienne ne peut laisser les scientifiques indifférents. Ainsi, en 1979, des chercheurs de l'université de Californie à Los Angeles ont analysé la répartition de 11 691 naissances entre les différents cycles lunaires qui se sont succédé pendant 4 ans. Les résultats ont fait l'objet d'une étude, publiée dans le *New England Journal of Medicine*, selon laquelle il n'existe aucune corrélation entre une phase de lune et la survenue d'une naissance. Depuis, diverses études ont été consacrées au sujet. Entre 1988 et 1992, des chercheurs italiens ont ainsi recensé 7 842 naissances à Florence. En 2004, ce sont des chercheurs espagnols qui ont tenté de découvrir une éventuelle influence de la pleine lune sur les naissances. En 2005, une étude américaine s'est penchée rétrospectivement sur plus de 500 000 naissances intervenues tout au long de 62 cycles lunaires. Tous ces travaux concluent de la même manière : la lune n'a aucun rapport avec la naissance.

Restent les témoignages de mères et de sages-femmes décrivant une maternité encombrée ces nuits-là. Il s'agirait de ce qu'on appelle le biais de confirmation, c'est-à-dire la tendance à privilégier les informations qui confirment des croyances, des idées reçues et parfois des convictions. Il y a donc bien des nuits de pleine lune où le nombre de naissances dépasse la moyenne... Tout comme ces débordements peuvent se produire à d'autres moments du cycle lunaire, mais l'histoire ne les retient pas !

LES STATISTIQUES

En France, les statistiques démontrent qu'un pic de naissances existe bien et qu'il survient une fois par an, un jour bien précis, marqué par un excédent de naissances, selon les travaux de l'Institut national d'études démographiques : il s'agit du 23 septembre. Si l'on remonte le temps, 9 mois plus tôt, nous revoilà au réveillon de fin d'année... Ce sont donc des conceptions du Nouvel An ! D'après les spécialistes, les couples cherchant à avoir un enfant sont souvent plus nombreux à être réunis à cette date.

Le régime alimentaire de la future maman peut influer sur le sexe du bébé

VRAI mais...

Il s'agit d'abord de clarifier l'un des termes de cette idée reçue. En évoquant la future maman, on parle de celle qui projette d'avoir un bébé, pas de celle qui le porte déjà. En effet, pour la femme enceinte, les dés sont jetés, puisque le sexe du futur bébé est déterminé au moment de la fécondation.

LE SEXE DE L'ENFANT

Revenons brièvement sur la façon dont le sexe du bébé à naître se décide. La mère dispose de deux chromosomes X. Elle en donnera donc forcément un à son enfant. Le père, lui, dispose d'un chromosome X et d'un chromosome Y. Si le spermatozoïde apporte le X, ce sera une fille ; s'il apporte le chromosome Y, il s'agira d'un garçon. Ainsi, même si la mère enceinte ne pourra officiellement savoir si elle porte une fille ou un garçon que dans le courant du cinquième mois de grossesse, lors de sa deuxième échographie de suivi de grossesse, le sexe du bébé est déterminé depuis le début de cette aventure.

LES RÉGIMES ALIMENTAIRES PROPOSÉS AUX FUTURES MAMANS

Penchons-nous à présent sur les régimes alimentaires proposés aux femmes désireuses de tomber enceinte et de choisir le sexe de leur bébé. On en parle rarement durant les consultations de sages-femmes ou dans les maternités, mais l'information suivante paraît sérieuse : en 1980 déjà, une étude menée par les docteurs Joseph Stolkowski et Jacques Lorrain affirmait que le fait de contrôler l'apport alimentaire en minéraux des futures mamans permettait d'influer sur le sexe de l'enfant à venir. Et les résultats communiqués semblaient très prometteurs : dans 80 % des cas, la maman avait donné naissance à un bébé du sexe que l'on aurait pu imaginer au vu du régime alimentaire qui lui avait été prescrit.

Les travaux de Joseph Stolkowski et Jacques Lorrain ont été poursuivis par ceux du Dr François Papa, le médecin gynécologue qui a certainement popularisé le régime promettant de choisir le sexe de son enfant. Pour faire simple : un régime « fille » reposerait sur la consommation de calcium et de magnésium. On favorise donc les laitages, les légumes verts, les fruits rouges et le poisson frais, mais surtout pas de viandes ni de charcuteries salées. À l'inverse, le régime « garçon » autorise les viandes et poissons salés (charcuterie, saumon fumé, haddock), mais aussi les pommes de terre, les lentilles et les haricots blancs, l'idée étant de privilégier les aliments riches en sodium et en potassium, tout en évitant ceux qui le sont trop en calcium.

Tout comme son confrère le Dr Stolkowski, le Dr Papa promet des taux de réussite très importants aux futures mamans qui commenceraient le régime au moins 2 mois et demi avant la conception et s'y tiendraient à la lettre.

LE RAPPORT ENTRE SEXE DE L'ENFANT ET L'ALIMENTATION

Mais, au fait, quel est le rapport entre l'alimentation et le sexe du futur bébé ? *A priori*, rien d'évident. Si l'on revient à la base, c'est-à-dire que le sexe du bébé se détermine au moment de la fécondation, il suffirait de permettre à certains spermatozoïdes d'accéder à l'ovule tandis que les autres n'y parviendraient pas. C'est ici que l'alimentation joue un rôle : les sels minéraux ayant des répercussions sur l'acidité des sécrétions vaginales, les spermatozoïdes X et Y ne réagiraient pas de la même manière dans cet environnement bouleversé.

Tout cela semble très logique, même s'il est difficile d'évaluer aussi clairement l'impact d'un régime alimentaire sur le sexe du bébé. C'est le moment de rappeler que, dans tous les cas, chaque mère a une chance sur deux de donner naissance à chacun des deux sexes ! Rappelons aussi qu'il est fortement déconseillé de jouer les apprentis sorciers, car le fait de développer des carences peut induire de graves problèmes, aussi bien chez la mère que chez le bébé. Et si vous en parliez à votre médecin ?

Une femme enceinte
a envie de fraises

FAUX

Une femme enceinte au bord de la crise de nerfs, incapable de refréner ses envies de fraises… La caricature est amusante, mais s'agit-il d'une pure fiction ? Ou les fraises pourraient-elles être troquées contre des cornichons, de la mangue ou des plats très gras ?

Si les travaux manquent sur le sujet, une étude tente de démêler le vrai du faux en compilant les données disponibles. Selon ses conclusions, il est fort probable que les variations hormonales soient en jeu dans ces envies de la femme enceinte. De même que nombreuses sont les futures mamans décrivant une modification de leur odorat pendant la grossesse, leur perception du goût change également, d'où une plus grande attirance pour certains aliments.

Il est également possible que les femmes enceintes soient guidées par leur culture dans leurs envies alimentaires. Ainsi, l'étude note que les Américaines ont surtout envie de chocolat alors que les Japonaises sont tentées par le riz, un élément phare de leur gastronomie.

Moins évidente mais avancée tout de même, l'idée selon laquelle les futures mères seraient attirées par des aliments dont elles ont besoin. On pourrait imaginer qu'une femme enceinte carencée en fer ou en magnésium aurait envie de manger des haricots et des lentilles. Mais les études relèvent plutôt des envies d'aliments gras et sucrés. Par ailleurs, si cette hypothèse fondée sur les besoins était avérée, les envies augmenteraient à mesure que le fœtus croît, ce qui n'est pas le cas : elles sont bien plus fortes au début de la grossesse. Ça ne colle donc pas avec cette idée reçue.

Un rapport sexuel pendant la grossesse peut provoquer l'accouchement

Quand l'acte sexuel devient une source d'angoisse… Et si un rapport pouvait déclencher l'accouchement ? Cela porte un nom, d'ailleurs : le déclenchement à l'italienne. L'idée se répand donc que pour limiter les risques d'un accouchement prématuré, il faudrait s'abstenir.

Mécaniquement, il est probable que les mouvements répétés, pendant un rapport, fassent réagir l'utérus aux stimulations. On sait que l'utérus se contracte lors de l'orgasme féminin et que de l'ocytocine est sécrétée ; or on sait aussi que l'ocytocine – qui est également l'hormone de l'attachement – provoque des contractions. D'ailleurs, on peut l'utiliser pour déclencher l'accouchement. De la même façon, il est probable que les prostaglandines présentes dans le sperme provoquent, elles aussi, des contractions ; et ces substances peuvent également être employées pour dilater le col de l'utérus, quand celui-ci est fermé, et ainsi déclencher le travail.

Pour autant, faut-il arrêter toute activité sexuelle pendant la grossesse ? Certainement pas ! Cette théorie pourrait nous faire croire que la pénétration peut induire l'accouchement, mais les études donnent des résultats contradictoires et ne la démontrent pas si clairement. Compte tenu de ce qui est écrit plus haut, on recommande tout de même aux femmes enceintes à qui l'on a prédit un risque d'accouchement prématuré d'éviter les rapports sexuels avec pénétration. Pour les autres, quelques conseils : surveillez-vous et parlez de ce que vous constatez avec votre médecin ou sage-femme. Pas d'inquiétude : une simple contraction n'est pas le signe annonciateur d'un accouchement imminent.

Mieux vaut fumer
quelques cigarettes enceinte
que d'être une future maman stressée

FAUX

La grossesse est un bouleversement. Sur tous les plans : hormonal, familial, physique et même alimentaire ! Pour assurer le bon développement de son bébé, la femme enceinte est invitée à changer quelques habitudes : fini, les carpaccios de bœuf et les tartares de saumon ; *exit*, les fromages au lait cru ! Certaines vivent ces restrictions comme autant de punitions. Et en plus, il faudrait arrêter l'alcool et la cigarette ?! Les recommandations sont très claires à ce sujet : tolérance zéro. Mais est-ce vraiment à ce point nécessaire ? C'est le propos de cette idée reçue.

LA NOCIVITÉ DU TABAC POUR LA FUTURE MÈRE...

Les autorités de santé répondent à la question en décrivant les conséquences du tabac sur la grossesse : le risque de faire une grossesse extra-utérine est multiplié par deux, celui d'une fausse couche spontanée est triplé, tout comme le risque de rupture prématurée des membranes, avant la trente-quatrième semaine d'aménorrhée. Le tabagisme est la première cause d'accouchement prématuré chez les femmes enceintes fumeuses. Mais ce n'est pas tout...

... ET POUR LE FŒTUS

Le fœtus aussi subit les effets du tabac : la nicotine ralentit la circulation du sang dans l'artère du placenta, causant une mauvaise oxygénation du bébé. Enfin, les autres substances contenues dans la cigarette peuvent être un facteur de retard de croissance.

STRESS *VS* CIGARETTE

Malheureusement, il est difficile de se raisonner quand on est dépendant. D'autant que le sevrage tabagique peut induire un stress. C'est sûr, il serait pire d'infliger cela au bébé : mieux vaut une maman détendue grâce à 4 ou 5 cigarettes quotidiennes au compteur, pensent certaines fumeuses... De façon générale, le stress participe aussi, il est vrai, à une moins bonne oxygénation. On constate que les mamans subissant une période de grand stress pendant leur grossesse portent des bébés qui grossissent moins. Mais on parle là de drame, telle la perte d'un proche, par exemple.

Si l'on considère la balance entre les bénéfices et les risques, il est probable que la cigarette soit plus délétère qu'une petite dose de stress, même si c'est difficile à évaluer. Et cela ne vaut pas seulement pour la grossesse et la santé du fœtus : en amont, la fertilité de la mère est également perturbée par la consommation de tabac ; et en aval, les bébés nés de grandes fumeuses peuvent être victimes d'un syndrome de manque.

Bon à savoir : il n'est jamais trop tard pour arrêter. Même si la grossesse est déjà bien avancée, ce sera toujours ça de gagné pour la santé du bébé et celle de la maman ! Et si c'était l'occasion de découvrir la sophrologie ou la méditation ?

～～～～

LES TRAITEMENTS DE LA DÉPENDANCE DES FEMMES ENCEINTES

En première intention, on propose des approches psychologiques et comportementales. Aux femmes très dépendantes qui ne parviennent pas à arrêter avec l'aide de ces approches, on peut conseiller des substituts nicotiniques – la question doit être abordée avec le médecin. Même si la nicotine n'est pas dénuée d'effets nocifs pour la santé du fœtus, il est préférable de consommer la substance ainsi, plutôt qu'inhalée et assortie de toutes les autres substances chimiques que contient une cigarette. Bonne nouvelle : depuis novembre 2016, l'Assurance Maladie prend en charge les traitements par substituts nicotiniques sur ordonnance à hauteur de 150 euros par an.

Il faut boire 1 verre de vin par jour pour combattre l'anémie

FAUX

Cette idée reçue peut se voir associée au cas de la femme enceinte, souvent sujette à l'anémie, ses besoins en fer s'intensifiant à mesure que le fœtus et le placenta poursuivent leur croissance et que le volume sanguin augmente.

L'ANÉMIE, C'EST QUOI ?

L'anémie se caractérise par une baisse du taux d'hémoglobine dans le sang. Comme cette substance est chargée de transporter l'oxygène jusqu'à tous nos organes, cela peut provoquer des symptômes tels que la fatigue, l'essoufflement, des palpitations, des maux de tête ou des étourdissements. Si vous ressentez cela, n'hésitez pas à consulter. L'anémie est souvent liée à une carence en vitamines ou en fer. Généralement, l'anémie de la femme enceinte est sans gravité, mais elle doit faire l'objet d'une surveillance régulière.

Parallèlement, l'idée se répand que le vin, rouge en particulier, contient du fer. C'est vrai – et c'est pourquoi le vin est déconseillé aux personnes souffrant d'une surcharge de fer, comme dans l'hémochromatose –, mais tout est affaire de quantité et, au bout du compte, de balance entre bénéfices et risques.

ALCOOL ET FŒTUS

Le vin – et plus généralement l'alcool – est un facteur de risque important dans de nombreuses maladies hépatiques, cardio-vasculaires, neurologiques, et dans plusieurs cancers. En comparaison, la faible quantité de fer contenue dans les boissons alcoolisées ne fait pas le poids par rapport aux besoins d'un organisme anémié et, finalement, le risque associé à cette consommation est plus important que le bénéfice supposé. De manière générale, donc, mieux vaut ne pas compter sur le vin rouge pour recharger un organisme en fer. Et ce d'autant plus pour les femmes enceintes, qui réfléchissent et agissent pour elles-mêmes mais aussi, et parfois surtout, pour leur bébé. L'alcool franchit la barrière du placenta, alors que le foie du fœtus, pas encore mature, est incapable de le métaboliser. Résultat : le bébé court le risque de développer un syndrome d'alcoolisation fœtale. Au total, on estime que ce syndrome concerne au moins 1 naissance sur 100, soit environ 8 000 nourrissons chaque année, affectés à des degrés variables. Au bout du compte, cela peut se traduire par des atteintes du système nerveux ou des malformations osseuses et viscérales – retards de croissance, handicaps comportementaux et cognitifs, malformations du crâne et du visage notamment. Et puisque l'on n'a pas établi précisément le seuil à partir duquel la consommation d'alcool produit des effets sur le fœtus, la recommandation faite aux femmes enceintes est claire : pas une goutte pendant la grossesse.

DES ALIMENTS CONTRE L'ANÉMIE

Et si l'on souhaite prévenir l'anémie naturellement, il faut savoir que de nombreux aliments sont riches en fer : la viande, les fruits de mer, les fruits et légumes secs, les légumes verts... Enfin, quand l'anémie est jugée sévère, le médecin peut aussi prescrire un supplément médicamenteux en fer.

QUELQUES ALIMENTS RICHES EN FER

Viande rouge et **boudin noir**.
Fruits secs : abricots, raisin, pruneaux.
Légumes secs : lentilles, pois chiches.
Chocolat noir.
En revanche, on évite le thé, qui peut diminuer l'absorption du fer d'origine végétale.

L'orgasme féminin
est gage de fertilité

FAUX

L'idée selon laquelle le plaisir sexuel serait lié à la fertilité traverse le temps. Peut-être est-ce le stigmate d'une société marquée par la religion, qui ne peut envisager la sexualité comme une activité vouée à la pulsion ou au seul plaisir. Ce tabou se répand encore aujourd'hui, en partie à travers la circulation de ce genre d'idées reçues. Il faudrait donc que l'orgasme ait une ambition avouable, comme celle de la reproduction.

Les chercheurs ont cherché... mais n'ont jamais trouvé ! Et pour cause : l'orgasme féminin n'a aucun rapport avec la fertilité. Mais un raisonnement, un peu plus alambiqué que cette idée reçue, pourrait aller dans ce sens. Si une femme dispose d'une sexualité épanouie, elle aura envie d'avoir des rapports sexuels et en vivra davantage qu'une femme ne prenant pas ou que peu de plaisir au lit. Or on sait qu'un ovocyte vit 24 heures environ, et les spermatozoïdes 3 jours en moyenne.

Ainsi, une femme qui a des rapports fréquents, trois fois par semaine, a toutes les chances de tomber enceinte ! En revanche, celle qui, ressentant peu de plaisir lors des rapports, en choisit le moment en fonction de la date présumée de son ovulation, aura moins de chances de tomber enceinte. Ce raisonnement, peut-être tiré par les cheveux, est le seul qui puisse donner quelque crédit à cette idée reçue !

Un rapport sexuel peut blesser le bébé

FAUX

Quelle angoisse que celle de déranger le bébé durant un rapport sexuel ! Et si le pénis du père heurtait sa tête ? S'il lui faisait mal ou, pire, le blessait ? Le fœtus est si fragile... Voilà une angoisse bien masculine autant qu'une idée reçue très répandue qui amène de nombreux futurs papas à craindre le rapport sexuel.

Messieurs, soyez rassurés. Le fœtus est bien protégé, et vous ne courez aucun risque de l'atteindre. Car, sans vouloir vous vexer sur cette partie sensible de votre anatomie, jamais le pénis ne pourra même effleurer le fœtus.

Si le pénis pénètre le vagin de la femme pendant le rapport sexuel, le bébé, lui, est bien loin de cette agitation, protégé par la barrière que représente le col de l'utérus, situé tout en haut du vagin. Derrière ce col bien fermé tout au long de la grossesse, le bébé évolue tranquillement dans la poche amniotique abritée par l'utérus.

Physiquement, donc, il n'y a aucun risque, pendant l'acte sexuel, que le pénis touche le bébé ou le perturbe.

En regardant la future maman, on connaît le sexe du bébé

FAUX

Idée reçue et jeu extrêmement répandu : quand une femme est enceinte, on cherche à la décrypter pour savoir qui elle porte. A-t-elle des nausées ? Un ventre pointu ? Que dit le pendule ?

UNE FILLE VOLE LA BEAUTÉ DE SA MÈRE

Dans la grande famille des idées reçues liées à la grossesse, voici celle qu'il vaut mieux éviter de partager avec la future maman pour ne pas la contrarier. Il paraîtrait qu'on peut connaître le sexe du bébé en regardant la mine de la mère : elle a les traits tirés ? Semble fatiguée ? Présente des éruptions cutanées ? Pas de doute, c'est une fille !

Évidemment, la grossesse est le temps des grands bouleversements hormonaux, et chez certaines femmes, cela se traduit par des manifestations dermatologiques. Jusqu'ici, donc, aucun risque que le fœtus soit déjà dans une phase œdipienne, rassurez-vous !

Pour autant, une étude récente avance l'idée que les futures mamans vivent une grossesse différente selon qu'elles attendent une fille ou un garçon. Des chercheurs américains ont ainsi démontré que le système immunitaire de la femme portant un fœtus de sexe féminin produit davantage de marqueurs d'inflammation quand son organisme est exposé à des bactéries. Ils ajoutent que cette inflammation peut contribuer à faire émerger des symptômes comme la fatigue. Rappelons que l'acné est également le produit d'un phénomène inflammatoire.

Si, jusqu'ici, on n'a pas officiellement mesuré les différences de symptômes entre les grossesses précédant la naissance d'un garçon et celles annonçant une fille, les futures mamans, elles, les ressentent bien. Et c'est souvent de ce ressenti que proviennent les idées reçues. Si la recherche n'a pas fini d'étudier le sujet, il n'est pas certain qu'elle dispose un jour de toutes les clés pour trancher.

LA FORME DU VENTRE : UN INDICE SUR LE SEXE DU BÉBÉ ?

Les femmes enceintes ont souvent remarqué qu'on ne les regardait pas dans les yeux. Zoom sur leur ventre pour tenter de savoir qui se cache là-dedans : fille ou garçon ? Selon une croyance répandue, la forme du ventre de la future maman donnerait de précieux indices : s'il s'affiche pointu, si, vue de dos, la mère ne laisse rien apparaître de son ventre, elle attend certainement un garçon ; en revanche, si l'abdomen est large, si le bébé semble plus étendu dans le ventre de sa mère, alors pas de doute, c'est une fille.

On peut toujours se livrer à ce genre de conjectures ; au bout du compte, on a grossièrement une chance sur deux de gagner, puisqu'il naît à peu près autant de filles que de garçons.

Malgré les croyances, la morphologie de la future maman n'a rien à voir avec le sexe du bébé. Elle est plutôt fonction de la forme que prend l'utérus pendant son développement et du nombre de grossesses antérieures. Pour une première grossesse, le ventre aura en effet tendance à être pointu, car les abdominaux sont bien en place et l'utérus, qui n'a encore jamais été distendu, prend moins de place qu'il n'en prendra lors des grossesses suivantes. En effet, pour un deuxième, troisième ou quatrième enfant, le corps de la future maman, ayant déjà connu un ou des événements similaires, change plus rapidement, d'autant que cette dernière n'a pas forcément récupéré tous ses abdominaux entre deux grossesses. Le muscle qui constitue l'utérus, habitué à l'exercice de la grossesse, se distend aussi plus facilement.

Rien à voir, donc, avec le fait que le bébé soit une fille ou un garçon, mais on est prêt à parier que cette idée reçue continuera à alimenter des discussions sur le sexe de l'enfant à naître pendant de longues années !

Les vrais jumeaux
ont les mêmes empreintes digitales

FAUX

Les jumeaux se ressemblent parfois comme deux gouttes d'eau. Partagent-ils la même façon de réfléchir ? Les mêmes rêves ? Ce qui est sûr, c'est qu'ils fascinent, même si le phénomène devient de plus en plus courant. Il y a 40 ans, 16 naissances sur 1 000 voyaient naître des jumeaux. Aujourd'hui, la proportion a presque doublé. Ce boom des naissances gémellaires est notamment lié à un recours plus massif aux traitements contre la stérilité. Ainsi, sur les 754 756 naissances de l'année 2015 en France, on compte 13 179 naissances doubles, vrais et faux jumeaux confondus.

LA FORMATION DES EMPREINTES

On a tendance à penser que ceux que l'on appelle les vrais jumeaux – c'est-à-dire les jumeaux monozygotes, issus de la division d'un même œuf, et donc d'une seule et même fécondation – seraient en tout point identiques. Il faut dire qu'ils se ressemblent généralement comme deux gouttes d'eau, et pour cause : issus du même œuf, ils partagent le même patrimoine génétique et sont forcément du même sexe. Or nos empreintes digitales sont déterminées par notre bagage génétique... Mais en partie seulement, et cela fait toute la différence ! Ces petits sillons que l'on peut observer sur la pulpe de nos doigts se forment pendant la grossesse, quand disparaissent les gonflements initialement apparus à l'extrémité des doigts. Parce que ces extrémités sont cylindriques, les lignes dessinées par les plis ne peuvent être régulières et alignées. Elles sont influencées par la croissance de l'embryon, et probablement aussi par son environnement à l'intérieur du sac amniotique : le flux de liquide amniotique, un pouce sucé et peut-être même la pression sanguine pourraient jouer un rôle dans ces tracés.

À CHACUN LES SIENNES

Ainsi, nos crêtes et sillons papillaires, ce que nous appelons plus communément les empreintes digitales, sont uniques chez chacun d'entre nous, vrais jumeaux compris ! Si l'un des deux commettait un crime, la police scientifique, en disposant, pour seule preuve, d'une empreinte digitale, pourrait savoir duquel il s'agit. L'ADN du criminel pourrait également lui être très utile, car si les jumeaux partagent initialement le même patrimoine génétique, l'ADN subit des mutations au fil de la vie. Celles-ci se produisent en fonction de facteurs environnementaux comme la consommation d'alcool ou de tabac, par exemple. Aujourd'hui, des techniques très précises permettent de révéler ces différences... Encore faut-il que les jumeaux n'aient pas évolué dans des environnements trop similaires !

SEPT MILLIARDS D'INDIVIDUS UNIQUES... OU PRESQUE

Outre les empreintes digitales, l'iris de nos yeux et notre langue présentent des spécificités propres à chacun : formes et couleurs, autant de caractéristiques qui nous rendent uniques et sur lesquelles la police scientifique se penche. Car, si les empreintes digitales ont largement aidé à élucider des affaires, elles ne sont pas toujours détectables : les personnes atteintes d'adermatoglyphie congénitale isolée, par exemple, n'en laissent pas.

NAISSANCES MULTIPLES

Si les naissances de jumeaux sont de plus en plus fréquentes, les chiffres baissent rapidement à chaque enfant supplémentaire. Ces dernières années, un peu moins de 200 accouchements ont donné lieu à des naissances triples tandis qu'on a compté entre 2 et 7 naissances de quadruplés. En 10 ans, seules 2 naissances quintuples ont été recensées en France.

La douleur de l'accouchement est la pire de toutes

FAUX

Cette idée reçue sous-entend que l'accouchement par voie naturelle inflige la pire des douleurs... Et c'est bien mérité, à en croire la Genèse ! Dieu y explique pourquoi et comment il punit la femme tentatrice : « Je multiplierai tes souffrances, et spécialement celles de ta grossesse ; tu enfanteras des fils dans la douleur ; ton désir se portera vers ton mari, et il dominera sur toi. »

Pourtant, en matière de douleur, rien n'est figé, et il s'agit d'un ressenti très personnel. La douleur causée par une colique néphrétique peut être intolérable tandis que celle d'un accouchement pourra être bien supportée, d'autant mieux s'il est rapide.

Aucun examen officiel ne permet d'évaluer objectivement la douleur d'une personne. Pour tenter de l'appréhender au mieux, les soignants disposent de trois approches. La première est une échelle numérique, au moyen de laquelle le patient est invité à noter sa douleur de 0 à 10 : 0 s'il n'a pas mal du tout, 10 pour la douleur la plus forte qu'il puisse imaginer ressentir.
La deuxième approche, l'échelle visuelle analogique, utilise une réglette. Sur la face que le soignant présente au patient est tracée une ligne, à l'extrémité gauche de laquelle est écrit « pas de douleur » et à l'extrémité droite « douleur maximale imaginable ». Le patient bouge le curseur sur la ligne en fonction de la douleur ressentie. Sur l'autre face, lisible par le soignant, le curseur se déplace sur une échelle graduée de 0 à 100 mm.
Enfin, la troisième approche est une échelle verbale. Au moyen de mots simples, le patient décrit sa douleur : faible, intense, insupportable, par exemple. Ce qui est sûr, c'est que la souffrance de l'accouchement, comme toutes les autres, peut être prise en charge.

Il est dangereux
de coucher un bébé sur le ventre

VRAI

Il est des domaines où les conseils se suivent et ne se ressemblent pas. C'est le cas pour le sommeil du nourrisson. Pendant un temps, jusque dans les années 1990, on conseillait aux parents de coucher leur bébé sur le ventre... Puis on a suggéré le couchage sur le côté, pour lui éviter de s'étouffer en cas de vomissements. Aujourd'hui, on privilégie la position sur le dos. S'agit-il d'un effet de mode ? Reviendra-t-on, un jour, aux conseils antérieurs ?

Il y a peu de chances. Si l'on incite aujourd'hui à coucher un bébé sur le dos, c'est surtout une affaire de santé publique. Loin de l'air du temps, on a étudié les chiffres, et l'on constate très clairement que cette position limite les risques de mort subite du nourrisson. En effet, couché sur le ventre, le bébé peut ramper et se retrouver confiné, le nez collé au matelas, ce qui peut l'empêcher de respirer correctement. La position latérale est instable et, en basculant, le bébé peut se retrouver rapidement sur le ventre, confronté aux dangers décrits plus haut. Reste donc la position sur le dos, qui a fait l'objet de campagnes d'information en France dans le courant des années 1990 et qui permet de voir chuter le nombre de morts subites du nourrisson (on parle aujourd'hui de « mort inattendue du nourrisson »).

Pour autant, on continue à déplorer, chaque année, environ 250 décès de bébés. Selon les nouvelles recommandations, il pourrait être pertinent de coucher le bébé dans la chambre de ses parents pendant les six premiers mois de sa vie, mais dans un couffin bien à lui : pas de « cododo » ! Évidemment, il faut aussi être vigilant quant aux autres facteurs de risques, et notamment éviter de trop le couvrir et lui épargner un tabagisme passif.

LA FIÈVRE CHEZ L'ENFANT

Les yeux qui brillent et l'énergie dans les chaussettes : avant même de poser la main sur son front, vous pressentez que cet enfant a de la fièvre. Quelle attitude adopter pour soulager votre petit ? Les idées sont nombreuses, mais pas toujours judicieuses !

AU-DELÀ DE 37,5 °C, JE DONNE DU PARACÉTAMOL À MON ENFANT
Mauvaise idée !

D'abord, la fièvre est définie par une élévation de la température centrale au-dessus de 38 °C, sans efforts particuliers et dans un environnement à température modérée. Ensuite, la fièvre n'est généralement pas dangereuse ; elle ne nécessite un traitement que si elle dépasse 38,5 °C et que l'enfant la supporte mal.

JE LUI DONNE UN BAIN D'EAU TIÈDE (OU FROIDE)
Ça vous fait envie, à vous ?

Voilà une tradition qui perdure. Elle consiste à donner à l'enfant un bain dans une eau dont la température est de 1 ou 2 degrés inférieure à sa température corporelle : une eau à 36 ou 37 °C si l'enfant est à 38 °C. Cette approche, répandue, pose problème, car si la température du corps peut légèrement s'abaisser, l'inconfort de l'enfant fiévreux dans ce bain frais peut, à l'inverse, s'en voir aggravé. Peut-être vaut-il mieux d'abord tâter le terrain, en appliquant un gant humide sur le front de l'enfant, pour voir sa réaction.

POUR FAIRE TOMBER LA FIÈVRE, IL FAUT FAIRE SUER LE CORPS
Sans doute une déclinaison du fameux
« combattre le mal par le mal »…

Cette idée reçue conduit souvent à couvrir la personne fiévreuse, en ajoutant, par exemple, une pile de couvertures sur sa couette. C'est tout le contraire qui est recommandé : ne pas trop couvrir l'enfant (lui retirer une couche de vêtements, par exemple) et ne pas augmenter la température de la pièce.

LES CONVULSIONS LIÉES À LA FIÈVRE ABÎMENT LE CERVEAU
Heureusement, non !

Subitement, le corps de l'enfant est secoué de spasmes, ses muscles se contractent de manière involontaire. L'enfant peut même perdre conscience, et ses yeux se révulser : c'est très impressionnant et encore plus angoissant. On appelle cela les convulsions fébriles. Elles peuvent se manifester pendant un épisode de fièvre chez l'enfant du plus jeune âge jusqu'à ses 5 ans. Heureusement, c'est aussi bénin que spectaculaire pour le cerveau de l'enfant.

LA FIÈVRE EST FORCÉMENT LE SIGNE D'UNE INFECTION
Pas de panique !

De manière générale, il n'y a pas de quoi s'inquiéter quand la température monte : c'est une réaction normale de l'organisme. Mais dans quelques cas particuliers, il faut être vigilant : si l'enfant a moins de 3 mois ou éprouve des difficultés respiratoires, si sa température est supérieure à 40 °C, s'il a des maux de tête importants ou encore une diarrhée abondante, on file aux urgences. Si la fièvre persiste ou si elle réapparaît après avoir disparu depuis plus de 24 heures, si l'enfant souffre d'une maladie chronique ou s'il présente des symptômes qui vous inquiètent (convulsions), n'hésitez pas à aller consulter.

QUELQUES CONSEILS

- Il est important de donner souvent à boire à un enfant fiévreux pour éviter qu'il ne se déshydrate. On lui propose de l'eau ou une autre boisson qu'il boira avec plaisir, et on n'hésite pas à lui en offrir régulièrement si lui-même n'a pas l'idée de demander ou la sensation de soif.
- Il est aussi judicieux de le découvrir, mais sans le déshabiller totalement, ce qui pourrait aggraver sa sensation d'inconfort.
- On aère la pièce dans laquelle il se trouve et on maintient la température entre 18 et 20 °C.

ÇA PIQUE LES YEUX !

—

Yeux et sommeil

Les heures de sommeil comptent double avant minuit

FAUX mais...

S'agit-il de décomplexer les couche-tôt ? D'un stratagème visant à mettre les ados au lit plus tôt le soir, afin de leur éviter le difficile – voire impossible – réveil du lendemain matin ? Car, soyez-en sûrs, une personne qui dormirait seulement de 20 heures à minuit ne s'en trouverait certainement pas aussi reposée qu'une autre ayant dormi deux fois plus longtemps, de minuit à 8 heures du matin.

Cela dit, cette idée reçue s'inspire certainement d'une base physiologique. Notre sommeil est structuré en cycles de différents types : le sommeil léger, qui correspond à l'endormissement ; le sommeil profond, pendant lequel le dormeur est de moins en moins sensible aux stimulations venant de l'extérieur, comme le bruit environnant ; puis le sommeil paradoxal, caractérisé par les rêves.

D'après les spécialistes, les premiers cycles de la nuit contiennent davantage de sommeil profond que les autres. Or c'est pendant cette phase de sommeil profond que l'activité du cerveau ralentit au maximum, qu'il se repose le plus.

L'idée que le sommeil est plus réparateur au début de la nuit est donc juste... mais c'est le cas, que votre nuit commence à 21 heures ou à 2 heures du matin !

Il est dangereux de réveiller un somnambule

FAUX

Des gestes maladroits et les yeux grands ouverts : on dirait un zombie, mais il s'agit plus probablement d'un somnambule ! On estime que 15 % des enfants connaîtront un épisode de somnambulisme entre l'âge de 1 et 15 ans. En revanche, moins de 6 % d'entre eux répéteront l'expérience. On dit aussi qu'il ne faut pas réveiller un somnambule ; certains craignent même que cela provoque sa mort.

Pour comprendre cette légende, il faut oublier l'idée que le sommeil serait un état global, pendant lequel le cerveau tout entier se mettrait au repos d'un seul coup. En réalité, chaque aire cérébrale vit un sommeil distinct, et toutes sont censées être synchronisées par notre horloge biologique. Seulement, parfois, survient un léger dysfonctionnement. Pendant le sommeil profond, 98 % du cerveau est bien au repos. Il reste donc 2 % éveillés, et s'ils ne correspondent pas à une aire cérébrale dédiée à la mémorisation ou à la réflexion, cette partie du cerveau restée active peut être dédiée au comportement moteur : voilà pourquoi une personne peut monter un escalier tout en dormant !

Le danger de réveiller un somnambule n'est pas lié au trouble du sommeil en lui-même mais à la situation du somnambule : une personne réveillée durant une phase de sommeil profond peut se sentir désorientée, confuse ; si elle se trouve alors en haut d'une échelle ou qu'elle tient une casserole d'eau bouillante à la main, ses actions peuvent être dangereuses. Il est donc conseillé de la reconduire tranquillement dans son lit, où elle finira sa nuit, puis se réveillera, au mieux, avec le vague souvenir d'un rêve étrange.

La durée de sommeil idéale est de 8 heures par nuit

VRAI mais...

Si le réveil sonne à 7 heures, il faut s'être endormi à 23 heures. Mais le week-end, on peut se coucher à 2 heures du matin et envisager une grasse matinée le lendemain. Dans les deux cas, on aura disposé de 8 heures de sommeil. Cette durée idéale s'applique-t-elle à tous ou chaque dormeur a-t-il la sienne ?

UNE DURÉE IDÉALE... PERSONNALISABLE

Si l'on estime à 8 heures la durée moyenne de sommeil nécessaire à l'adulte, il s'agit, en réalité, d'une notion individuelle. Pour certains, une nuit de 6 heures sera largement suffisante, tandis que d'autres, plus gros dormeurs, auront besoin de passer 9 ou 10 heures au lit. D'après le Réseau Morphée (réseau de santé consacré à la prise en charge des troubles chroniques du sommeil), le record du plus court dormeur est détenu par un Australien qui dort 3 h 30 par nuit !

Ces besoins varient donc d'une personne à l'autre. Dès lors, comment déterminer les siens ? On tend à penser que le besoin de sommeil est lié à la qualité de l'état de veille : si l'on se sent bien pendant la journée, c'est que l'on a suffisamment dormi ; en revanche, si l'on est somnolent, la nuit passée a probablement été trop courte.

Pour connaître ses besoins, il est également pertinent de s'observer pendant les vacances, quand on n'a pas l'obligation de se lever tôt... Peut-être pas la première semaine, parce que, au début des congés, on sera certainement porté à régler sa dette de sommeil. Car, selon les spécialistes, nous manquons tous de sommeil : la plupart des Français dorment 1 heure de moins que la durée idéale ! Évidemment, il ne s'agit là encore que de moyennes ou de cas généraux. En réalité, vous l'aurez compris, la durée de sommeil idéale est individuelle : à chacun la sienne !

PLUS ON GRANDIT, MOINS ON DORT

Pour les enfants, c'est bien différent : pas question de se contenter de la moyenne de 8 heures par nuit, bien en deçà des besoins physiologiques des plus petits ! À la naissance, le bébé dort entre 12 et 16 heures sur 24, réparties entre la nuit et plusieurs siestes. À l'âge de 5 ou 6 ans, l'enfant dort environ 10 heures par nuit, et il n'a plus besoin de faire la sieste. C'est finalement à l'adolescence que la durée du sommeil se stabilise, aux alentours de 8 ou 9 heures par nuit.

Mais le sommeil ne reste pas linéaire tout au long de la vie d'adulte. Au-delà de 50 ans, il n'est pas rare qu'il évolue : le cycle se compose davantage de sommeil léger que de sommeil profond, et les brefs éveils dans la nuit se font plus nombreux. Résultat : les 8 heures de sommeil idéales ne s'avèrent plus suffisantes pour se sentir reposé. Mais il est possible de compenser par une sieste !

L'HORLOGE INTERNE

Le rythme biologique de l'organisme est globalement calé sur 24 heures. On parle d'ailleurs de rythme circadien, *circa* signifiant « proche de » et *dien* « un jour ». L'activité du corps change de manière cyclique au fil de ces 24 heures, et l'horloge guide certaines fonctions pendant la nuit. Ainsi, la mélatonine est sécrétée au début de la nuit. On sait aussi que les contractions intestinales diminuent pendant la nuit et que c'est aussi pendant le sommeil que la mémoire se consolide.

C'est la nuit
qu'un enfant grandit

VRAI

Décidément, le sommeil est riche de nombreuses fonctions (voir pages 54, 56 et 59) ! Une bonne nuit de repos permet de récupérer, qu'il s'agisse de fatigue physique ou de fatigue nerveuse, mais on dit aussi qu'un enfant grandit en dormant. Est-ce vrai ?

Il s'agit peut-être d'un raccourci ou d'une association d'idées, mais cette affirmation est bel et bien fondée, car l'hormone de croissance est sécrétée au début de la nuit, pendant les phases de sommeil profond. Comme son nom l'indique, cette hormone favorise la croissance. Ainsi, l'idée selon laquelle on grandirait la nuit a du sens.

Décidément très utile, l'hormone de croissance a aussi pour vocation de réparer des cellules usées : on peut dire qu'un véritable ménage s'opère dans notre corps quand nous dormons !

On apprend
en dormant

On s'est entendu dire, petit, que si l'on relisait une poésie avant de se coucher, on la connaîtrait par cœur au réveil. Ou alors qu'une bonne nuit permettrait d'avoir les idées claires pour prendre une décision importante le lendemain. Et en effet, parmi ses nombreuses fonctions, le sommeil assure la restauration cérébrale et la consolidation de la mémoire. Une bonne nuit est indispensable au bon fonctionnement du cerveau, en somme !

La restauration cérébrale, c'est un grand ménage qui s'opère pendant que l'on dort. En ligne de mire : les zones du cerveau ayant été les plus sollicitées pendant la journée. Durant le sommeil, l'espace qui sépare les cellules et dans lequel circule le liquide céphalorachidien devient plus vaste, permettant d'éliminer plus efficacement des résidus toxiques.

Et si les connaissances sont acquises pendant l'état de veille, si c'est le jour que l'on apprend à lire, à compter ou à parler anglais, la nuit permet de mémoriser ces apprentissages. Ainsi, pendant le sommeil, on réactive les circuits neuronaux utilisés le jour pour les consolider et, finalement, les mémoriser. Évidemment, cela ne vaut pas pour toutes les informations emmagasinées pendant la journée : le sommeil permet aussi de faire le tri entre ce qui mérite d'être mémorisé et le reste. Ainsi, seules les connexions neuronales les plus fortes vont survivre au sommeil profond, et vous finirez par oublier d'autres informations, insignifiantes.

CE QUE DISENT LES RÊVES...

Certains s'en souviennent très précisément et sont capables, chaque matin, de raconter les aventures rocambolesques rêvées pendant la nuit. D'autres doutent de rêver, parce qu'ils n'ont jamais souvenir du moindre rêve. Activité cérébrale, prise de pouvoir de l'inconscient, prémonitions... on attribue aux songes bien du sens et des pouvoirs !

LES RÊVES ONT DU SENS
Pas si sûr...

L'oniromancie, qui désigne une divination par l'interprétation des rêves, est pratiquée depuis des centaines, voire des milliers d'années par les prêtres ou les chamans, chez les Égyptiens, les Grecs et les Hébreux. Mais celui dont le nom est associé à la pratique est Sigmund Freud, le père de la psychanalyse. *L'Interprétation des rêves*, publié en 1899, est même considéré comme l'un des premiers ouvrages psychanalytiques. Le rêve y est considéré comme une voie d'accès à l'inconscient, un accomplissement du désir, une manifestation des pulsions sexuelles refoulées. Il s'agit là d'une théorie, aucune preuve scientifique ne l'étaie. Certains avancent, par exemple, qu'un nouveau-né, encore vierge de tout désir refoulé, passe la moitié de sa nuit en sommeil paradoxal et donc, probablement, à rêver.

CELUI QUI NE SE SOUVIENT PAS DE SES RÊVES NE RÊVE PAS
Faux !

On estime que tout le monde rêve, mis à part les personnes concernées par quelques très rares cas de lésions cérébrales spécifiques ou par certains traitements médicamenteux. En revanche, si certaines personnes se souviennent facilement de leurs rêves, d'autres ont plus de mal. Outre une possible explication génétique, le souvenir dépend aussi du moment de la nuit auquel on se réveille : si l'on ouvre un œil pendant la phase de sommeil paradoxal, celle où l'on rêve le plus, on a plus de chances de se souvenir d'un rêve.

ON PEUT S'ENTRAÎNER À SE SOUVENIR DE SES RÊVES
Vrai !

C'est l'enseignement que l'on tire des expériences menées par le neurobiologiste Michel Jouvet, qui s'est entraîné à écrire, à chaque réveil, le souvenir qu'il avait de son rêve. Au fil du temps, ses récits se sont allongés, et ponctués de toujours plus de détails, comme les couleurs et les odeurs.

J'AI RÊVÉ TOUTE LA NUIT
Pas tout à fait

C'est pendant la phase de sommeil paradoxal que l'on rêve le plus, même si on peut rêver à d'autres moments du cycle. Cette phase se caractérise par une atonie musculaire et par des ondes cérébrales similaires à celles de l'éveil. Des scientifiques ont constaté qu'un sujet avait bien plus de souvenirs de son rêve s'il était réveillé en plein sommeil paradoxal plutôt qu'à un autre moment. Or, le sommeil paradoxal occupe entre 20 et 25 % de la nuit.

LES ANIMAUX NE RÊVENT PAS
En est-on certain ?

Si le rêve est l'apanage du sommeil paradoxal, on peut en déduire que certains animaux – comme les mammifères et les oiseaux – rêvent, tout comme nous. Malheureusement, ils ne disposent pas de mots pour nous raconter leurs songes, mais leur comportement pendant le sommeil laisse penser qu'ils rêvent de situations caractéristiques de leur espèce. Ainsi, le chat laisse deviner des comportements de chasse ou de défense.

FINALEMENT, À QUOI SERVENT LES RÊVES ?

Plusieurs théories émergent, en l'état actuel des connaissances :
• Les rêves ne serviraient à rien.
• Les rêves permettraient une transmission génétique des comportements nécessaires à la survie de l'espèce. En rêvant, on serait capable de reconnaître un danger ou nos proies.
• Le rêve serait comparable à une sorte de réalité virtuelle dans laquelle chacun de nous jouerait à blanc certaines situations, comme pour se préparer à les affronter bien réellement ensuite.
• Le rêve serait un moyen de contrôler ses émotions. Le fait de rêver, même de choses négatives, permettrait ainsi d'évacuer des tensions émotionnelles accumulées pendant la journée.

Le travail devant un ordinateur abîme les yeux

FAUX mais...

Des maux de tête, les yeux qui piquent, et parfois ce besoin de les frotter très fort, jusqu'à une vision brouillée : après une journée à travailler sans répit devant un ordinateur, on peut ressentir ces symptômes, qui sont ceux de la fatigue visuelle. Dans ce cas, une pause s'impose.

Devant un écran, un ordinateur ou un poste de télévision, on est concentré et on a tendance à moins cligner des yeux. Du coup, leur surface est insuffisamment recouverte de film lacrymal et s'assèche ; rien de grave, mais cela explique le picotement des yeux. Les écrans ne provoquent pas l'astigmatisme ou l'hypermétropie, mais une fatigue visuelle peut révéler l'existence de ces troubles. Ou, expliqué autrement, la fatigue apparaîtra d'autant plus rapidement que l'utilisateur de l'écran a un léger trouble visuel non corrigé.

Pour travailler sur ordinateur, mieux vaut donc porter une paire de lunettes adaptée, et limiter le contraste lumineux entre l'écran et l'environnement direct. Il est aussi préférable de respecter une distance entre l'écran et l'utilisateur, pour éviter une sorte de stress visuel qui obligerait l'œil à trop compenser. Et pour limiter la fatigue visuelle, mieux vaut faire des pauses régulières, en regardant un peu plus loin que l'écran : cela stimule la capacité de l'œil à faire la mise au point. Profitez-en pour vous étirer : cela limitera les douleurs de dos que l'on peut ressentir en passant toute une journée assis !

Porter des lunettes
rend les yeux paresseux

On entend souvent dire que la vision se travaille et qu'il faudrait s'interdire de porter ses lunettes, pour stimuler ses yeux, surtout dans les cas de correction mineure, car trop de confort visuel les rendrait fainéants. Certaines méthodes promettent d'améliorer la vue à l'aide du yoga ou de la relaxation ; d'autres jurent de guérir la myopie par des moyens naturels.

Pourtant, rien n'est prouvé en la matière. On peut essayer, mais on risque de provoquer une fatigue visuelle en obligeant les yeux à s'accommoder.

Il est, en revanche, possible de repousser le moment d'une correction de l'hypermétropie chez l'adulte. Ce dernier peut lui-même s'imposer un effort d'accommodation et forcer ses yeux à faire la mise au point. Mais attention à ne pas confondre cette hypermétropie, causée par un œil trop court, avec la presbytie, qui touche presque tous les adultes à partir de la quarantaine.

Quoi qu'il en soit, il faut être particulièrement vigilant avec la vision des enfants. Ainsi, un enfant touché par le syndrome de l'œil paresseux (amblyopie) doit suivre à la lettre la prise en charge proposée par son ophtalmologue. Elle concerne les yeux mais aussi le cerveau, largement impliqué dans la vision. Sans une rééducation adaptée, l'enfant peut perdre la vision de l'œil affecté.

Manger des carottes,
c'est bon pour les yeux

VRAI

Vous les voyez de quelle couleur, les carottes ? Si vous répondez « orange » et que, pour cette bonne réponse, on vous assure que vous avez de bons yeux, l'explication ne doit pas vous suffire. D'où vient donc cette idée reçue ? Quel rapport existe-t-il entre un aliment que nous ingérons – la carotte, en l'occurrence – et la santé de nos yeux ?

Le secret réside dans les vitamines que contient la carotte, tout particulièrement la vitamine A. Elle est impliquée dans la production et le renouvellement des cellules de la rétine, et joue également un rôle dans le film de larmes dont ont besoin d'être entourés nos yeux en permanence. À l'inverse, un manque de vitamine A, en plus de nuire à ces deux processus, peut entraîner une baisse de la vision quand la luminosité est moindre. Voilà pourquoi l'on suggère de manger des carottes pour garder de bons yeux.

De manière générale, on prend de plus en plus au sérieux le rôle de l'alimentation dans la santé oculaire. Ainsi, on dit que les oméga-3 limitent la sécheresse oculaire et que les aliments antioxydants ont un effet protecteur de la vision. On estime en effet que ces derniers protègent contre la dégénérescence maculaire liée à l'âge (DMLA), cette pathologie qui touche la rétine et peut conduire jusqu'à la perte de la vision centrale. En revanche, le fait de manger des carottes à tous les repas n'aura aucun effet sur une myopie ou un astigmatisme.

Les yeux sont les seuls organes qui ne grandissent pas

Mon œil ! La courbe de croissance, c'est un grand classique du carnet de santé. Les parents ont souvent les yeux rivés dessus quand le médecin ajoute une mesure : on s'assure alors que le bébé grandit et grossit régulièrement. Mais qu'en est-il des yeux ? Suivent-ils la même courbe de croissance ou les yeux du petit ont-ils déjà leur taille définitive ?

On le voit bien, la courbe évolue régulièrement, avec une vague plus franche au moment de l'adolescence. Mais, en réalité, les différents tissus évoluent chacun à leur rythme : tête et cerveau grandissent très vite et très tôt, tandis que les organes reproducteurs ne se développent franchement que vers 15-16 ans.

D'après une idée reçue, l'œil serait l'exception qui confirme la règle, le seul organe qui ne grandirait pas. On naîtrait donc avec des yeux à leur taille définitive. En observant le visage d'un enfant, on voit, en effet, que l'œil occupe un espace plus grand que sur les visages d'adulte.

Pourtant, comme tous nos organes et tissus, l'œil grandit. Mais sa croissance est très rapide : on estime ainsi que la maturation des globes oculaires et de la rétine est quasiment atteinte après les 4 premières années de vie. Le cristallin, lui, a presque son diamètre définitif au bout de 8 ans. De manière générale, la croissance se poursuit ensuite, mais elle est très lente, d'où cette idée reçue.

La vérité, c'est donc que la croissance des yeux est fulgurante entre la naissance et 2 ans, très intense jusqu'à 4 ans, puis relativement lente, pour être quasiment nulle après 10 ans. Preuve que l'œil grandit : chez les enfants, l'hypermétropie peut se corriger spontanément au fil de la croissance.

Regarder le soleil pendant une éclipse rend aveugle

VRAI

C'est une des rares occasions qui nous sont données de regarder le soleil en face. Vu de notre Terre, il semble passer derrière la lune, et sa lumière n'est pas éblouissante. Outre le spectacle exceptionnel que cela représente, on pourrait penser que, puisque cette lumière est supportable, nos yeux ne courent aucun risque. Erreur : les rayons du soleil peuvent parvenir jusqu'à la rétine, le tissu nerveux situé au fond de l'œil.

Cet épisode, même très bref, peut causer une brûlure, aux conséquences parfois irréversibles. Elle est insidieuse, car elle ne se fait pas forcément sentir immédiatement... Si elle atteint la rétine, elle peut occasionner une lésion. En fonction de sa localisation – si, par exemple, la brûlure affecte la zone centrale de la rétine, la macula –, cela pourra altérer la vision. De manière générale, on sait que la lumière du soleil est nocive pour les yeux. Elle peut favoriser la survenue d'une dégénérescence maculaire liée à l'âge (DMLA), cette maladie de l'œil à l'origine de nombreux cas de malvoyance, notamment chez les personnes âgées. Les rayons solaires peuvent aussi toucher le cristallin et aggraver une cataracte ou la faire apparaître plus précocement.

Pour pouvoir profiter en toute sécurité d'une éclipse, il est donc indispensable de porter des lunettes de protection adaptées : pas vos lunettes de soleil habituelles, mais des lunettes spécialement conçues pour regarder le soleil. Adressez-vous à un opticien et assurez-vous qu'elles portent bien le marquage CE, gage de respect des normes.

Les yeux peuvent rester bloqués quand on louche

FAUX

Il faut bien que jeunesse se passe… Et souvent, jeunesse se passe – entre éclats de rire et petits caprices – avec une bonne dose de grimaces : la langue tirée, le nez écrasé et les yeux qui louchent… Mais attention, entend-on : un coup de vent et les yeux resteront bloqués ainsi ! Loucheur pour l'éternité !

Il y a de grandes chances que cette phrase soit tout droit sortie de la bouche d'un parent, honteux de voir son enfant reproduire les mêmes grimaces que les siennes jadis, et tenté de lui faire peur. S'il est peu probable de rester ainsi coincé en faisant une grimace, les yeux peuvent par ailleurs se bloquer, en quelque sorte. Il faut alors prendre la situation très au sérieux.

À gauche comme à droite, nos yeux bougent grâce à 6 muscles. Si un strabisme apparaît subitement, cela peut être le fait d'un effort accommodatif trop intense (chez un enfant qui aurait une forte hypermétropie, par exemple), mais il est également important d'envisager la possibilité d'une paralysie ou l'éventuelle présence d'une tumeur. Voilà des considérations beaucoup moins amusantes que le coup de vent qui fixerait un enfant dans sa grimace…

LE SOIN DES PAUPIÈRES

Orgelet, chalazion, paupières gonflées, blépharite… Attention, zone sensible ! Cette peau particulièrement fine abrite des glandes chargées d'assurer la permanente humidification de nos yeux. En temps normal, aucun problème à signaler, mais il suffit d'un petit grain de sable dans les rouages pour voir les problèmes émerger.

DES TRANCHES DE CONCOMBRE POUR SOULAGER LES PAUPIÈRES GONFLÉES
À la crème ou vinaigrette ?

Ce remède de grand-mère est parfois indiqué pour atténuer le phénomène des paupières tombantes ; plus généralement, on lui attribue le pouvoir d'hydrater et de réduire le gonflement. Cette idée provient certainement du fait que le concombre contient de la cucurbitacine, un composé reconnu pour ses effets anti-inflammatoires. De là à savoir si les effets se produisent sans ingestion… Ce qui est sûr, c'est que la sensation de fraîcheur apportée par le concombre soulagera probablement les paupières gonflées.

UN SACHET DE THÉ VERT OU DE CAMOMILLE
Apaiser et calmer

Trempez votre sachet de thé dans l'eau chaude et laissez-le ensuite posé sur la paupière douloureuse. Thé vert ou camomille, les vertus prêtées sont différentes : avec la camomille, réputée pour sa douceur, on vous assure un effet apaisant et calmant ; avec le thé vert, chargé en polyphénols, on vous promet un effet anti-inflammatoire.

UN ANNEAU D'OR POUR ÉLIMINER UN ORGELET
La bague au doigt… ou sur l'œil !

L'orgelet est une infection qui vient se loger à la racine d'un cil et qui rend l'œil très douloureux. Pour s'en débarrasser au plus vite, certains préconisent d'appliquer une alliance en or (jaune ou blanc, à vous de voir) deux fois par jour sur l'orgelet. Si vous souhaitez tester cette technique, n'oubliez pas de bien laver la bague au préalable, pour ne pas risquer de surinfecter la zone déjà sensible.

UN GANT D'EAU CHAUDE CONTRE LA BLÉPHARITE ET LE CHALAZION
Des glandes engorgées

Outre la circulation du liquide lacrymal, nos paupières abritent des glandes chargées de sécréter un corps gras. Quand ces glandes s'engorgent, une inflammation se produit et peut être douloureuse. Dans ce cas, quel soulagement que celui que procure l'application d'une compresse d'eau chaude… Là encore, le gant, le linge ou la compresse utilisés doivent absolument être propres.

LE MIEL CONTRE LA SÉCHERESSE OCULAIRE
Bzzzzzzz !

Ici, on lit le récit d'un homme guéri de sa blépharite chronique grâce à du miel, et là, la possibilité de soigner une cataracte avec du miel. Un produit simple et naturel pour guérir de tous les maux, ça fait rêver ! Mais il faut rappeler que le miel n'est pas une substance stérile et qu'au lieu de combattre l'infection, il peut au contraire l'entretenir.

QUELQUES CONSEILS

La peau de nos paupières est la plus fine de l'organisme et en cela, elle est particulièrement sensible. En outre, les canaux qui traversent cette peau sont plus ou moins fins selon les personnes et risquent parfois l'engorgement.

• Au-delà du bien-être qu'apportent certains remèdes décrits ici, c'est, en réalité, l'action du massage qui produit un effet sur la pathologie, chalazion ou blépharite : à force de masser, on désengorge les glandes saturées et on les aide à assurer de nouveau leur travail de drainage.

• Tout ce qui peut nettoyer en douceur est donc bon à prendre : à vous de choisir le produit qui vous convient le mieux, de l'eau tiède au gel émollient en passant par le lait démaquillant.

À FLEUR DE PEAU

—

Peau, poils et cheveux

L'indice de protection solaire indique la durée en minutes pendant laquelle la crème protège la peau

FAUX

Selon cette idée reçue, une crème solaire portant un indice SPF* de 30 permettrait de s'exposer 30 minutes au soleil sans risques. Est-ce bien le message que ce chiffre, inscrit sur le flacon, indique au consommateur ?

CE MYSTÉRIEUX SPF...

En réalité, le calcul est un peu plus alambiqué : l'indice SPF désigne la quantité d'UV qu'il faudrait recevoir avant d'attraper un coup de soleil et alors même que l'on s'est tartiné de crème. Par exemple, si l'on s'expose à midi en plein soleil et sans protection, la peau va brûler en 5 minutes. Mais si l'on s'applique une protection de coefficient 50, on multiplie les 5 minutes originelles par 50 : on est donc protégé 250 minutes, soit l'équivalent de 4 heures. Ouf, pensez-vous : la crème est efficace longtemps ! Mais il y a un hic. Ou deux.

UVA ET UVB

D'abord, l'indice SPF ne fait référence qu'aux UVB. Pourtant, deux types de rayons ultraviolets émis par le soleil arrivent jusqu'à nous et sont susceptibles d'endommager la peau : les UVA et les UVB. Les UVB s'attaquent à la couche superficielle de la peau et peuvent provoquer des brûlures et des cancers de la peau. Les UVA, eux, pénètrent la peau en profondeur et peuvent ainsi causer des dommages dans ses couches inférieures. C'est à eux que l'on doit les rides et les taches brunes, mais aussi certaines lésions cutanées précancéreuses et même des cancers. Or la protection SPF indiquée sur votre tube de crème solaire ne fait absolument pas référence à ces UVA ; elle concerne les seuls UVB. Votre crème solaire ne vous protège donc pas contre ces rayons plus pénétrants.

DES TESTS À LA PRATIQUE

Ensuite, les tests permettant d'évaluer l'indice de protection solaire sont réalisés en laboratoire, dans des conditions idéales : pas de transpiration, pas de frottement avec un tissu, pas d'humidité. Et, surtout, ils se fondent sur une quantité de crème standard de l'ordre de 2 mg/cm². D'après la Société française de dermatologie, il faudrait appliquer l'équivalent, en volume, d'une balle de ping-pong pour protéger le corps d'un adulte. Or, le plus souvent, on utilise moins de produit que la quantité recommandée. Résultat : la protection solaire est divisée par deux ou trois.

Pour bien se protéger, l'idéal est de choisir une crème portant un indice de protection élevé et de l'appliquer généreusement. L'opération doit être renouvelée au bout de 2 heures, voire plus tôt si l'on s'est baigné ou lancé dans une activité physique entre-temps – malgré les promesses lisibles sur les emballages, les crèmes solaires résistent mal à l'humidité.

* SPF : *Sun Protection Factor* (facteur de protection solaire).

~~~~~~~~

INTERSUN : UNE ÉCHELLE D'APPRÉCIATION UNIVERSELLE

Pour parler d'une même voix et éviter que chaque pays ait son propre langage en matière de protection solaire, l'Organisation mondiale de la santé (OMS) délivre un message de protection universel, fait de chiffres et de couleurs simples. Ainsi, une exposition faible correspond à un indice compris entre 0 et 2 et à la couleur verte, alors qu'une exposition très forte correspond à un indice compris entre 8 et 10 et à la couleur rouge. À partir de l'indice 3, il est conseillé de prendre ses précautions en cas d'exposition au soleil.

Le soleil
fait disparaître l'acné

~~~~~

FAUX

L'acné n'est pas une maladie grave en soi, mais elle empoisonne la vie. Elle se loge principalement sur le visage des adolescents et des femmes jeunes, et induit des complexes et une baisse de l'estime de soi. Alors, quand on découvre que l'exposition au soleil apaise le phénomène et fait parfois disparaître l'acné, on fonce s'exposer aux premiers rayons ! Mais qu'en est-il vraiment ?

L'acné est une maladie de la peau dont le processus est le suivant : une bactérie, naturellement présente dans la peau, stagne et se multiplie dans les follicules de la peau, du fait d'un défaut d'écoulement du sébum. Cela provoque une infection, suivie d'une inflammation : le fameux bouton d'acné.

Certains pensent que l'exposition au soleil va assécher le bouton et le faire disparaître. En réalité, sous l'action du soleil, l'acné ne diminue que temporairement. Et le retour de bâton peut être sévère : dans un deuxième temps, la peau va s'épaissir et rendre encore plus difficile l'écoulement naturel du sébum, augmentant par la même occasion les manifestations de l'acné.

Troisième effet, encore moins cool et plus durable : le soleil peut causer une pigmentation des cicatrices liées à l'acné et les rendre alors plus apparentes. Sachez enfin que certains traitements de l'acné provoquent une photosensibilisation de la peau : elle devient alors plus réactive au soleil. Un impératif pendant le traitement : éviter toute exposition.

Les peaux sombres sont naturellement protégées du soleil

La peau humaine est naturellement colorée grâce aux pigments de mélanine qu'elle contient. Mais selon la région d'origine, la peau ne produit pas la même quantité de mélanine.

Ainsi, en Afrique de l'Est, là où le soleil tape fort, on rencontre des populations à la peau très foncée – très chargée en mélanine donc –, moins vulnérable aux rayons UV, nocifs pour la santé. À l'inverse, dans les pays du Nord, où le degré d'ensoleillement est plus faible, les peaux sont devenues pâles.

On estime qu'une peau noire protège cinq fois plus des rayons du soleil qu'une peau blanche. Une personne à la peau noire est donc moins exposée au risque de développer un cancer de la peau, mais attention : il ne s'agit pas pour autant d'un écran total naturel ! Aussi, une personne à la peau noire doit se préparer à une exposition au soleil, surtout si elle vit habituellement dans une région peu ensoleillée. Il est conseillé de s'appliquer de la crème solaire et d'être particulièrement vigilant avec les peaux métisses et celles des enfants.

Outre le risque de développer un cancer, l'exposition au soleil est aussi responsable du vieillissement cutané, qui se manifeste par l'apparition de rides et de taches. En la matière, peaux claires et peaux foncées sont logées à la même enseigne. Deux conseils universels, donc : on évite de s'exposer aux heures les plus chaudes et on se protège avec un produit solaire.

Un point positif : si le soleil à trop haute dose peut causer des cancers de la peau, il permet aussi (dans le cadre d'une exposition raisonnable) la synthèse de la vitamine D, indispensable à la santé de nos os.

Il ne faut pas mettre de parfum avant de s'exposer au soleil

VRAI

Le mot « soleil » devrait rimer avec « farniente » et bonne humeur : au moindre rayon, le moral remonte ! Mais, dans le même temps, l'exposition au soleil est taxée de bien des maux : le vieillissement cutané, le risque de lésions cancéreuses, et maintenant l'allergie… Est-il vrai que soleil et parfum font mauvais ménage ?

LA DERMATITE DES PARFUMS

La dermatite des parfums (que l'on appelle aussi la dermatite en breloque ou la pigmentation des parfums) existe bel et bien et se manifeste par une pigmentation de la peau. Si, après une exposition au soleil, on remarque la présence de taches brunes sur la peau, en traînées ou en plaques, tout particulièrement sur des zones où l'on se vaporise habituellement du parfum, comme dans le cou ou sur le décolleté, pas la peine de chercher plus loin : il s'agit certainement de ce que l'on peut considérer comme une allergie au soleil.

LES COMPOSANTES DU PARFUM EN CAUSE

En réalité, c'est moins le soleil que les composantes du parfum qui sont en cause, même s'il faut les deux pour provoquer la réaction. Certains produits parfumés sont des substances particulièrement photosensibilisantes, c'est-à-dire qu'elles rendent la peau sensible au soleil jusqu'à provoquer des réactions allergiques. Dans l'exemple qui nous intéresse, c'est le parfum qui, exposé au soleil, provoque une telle réaction. Mais d'autres substances chimiques, tel un médicament, peuvent, associées au soleil, déclencher une réaction cutanée du même genre.

DES FRAGRANCES À ÉVITER

Dans la famille des parfums et produits parfumés, mieux vaut éviter certaines fragrances afin de limiter les risques. Si l'essence de bergamote est une merveille olfactive, elle représente un véritable danger pour la peau car elle contient du psoralène, une substance chimique photosensibilisante – que l'on retrouve également dans le céleri et le persil ainsi que dans les agrumes, notamment le citron et le pamplemousse.

La composition d'un parfum étant difficile à connaître, mieux vaut le vaporiser sur ses vêtements que directement sur la peau. Cela évitera d'éventuelles mauvaises surprises, d'autant que les plaques colorées laissées par la dermatite du parfum ne disparaissent que très progressivement.

~~~~

LE SOLEIL, C'EST (QUAND MÊME) BON POUR LA SANTÉ

Les dangers du soleil sont bien connus : une exposition prolongée et non protégée peut causer des lésions dermatologiques et même certains cancers. Mais le soleil a aussi du bon : ses rayons, précisément les UVA et UVB, jouent un rôle dans la synthèse de la vitamine D, une substance essentielle à l'absorption du phosphore et du calcium notamment, et donc à nos os. On estime qu'une exposition quotidienne de 15 minutes au rayonnement solaire permet de synthétiser suffisamment de vitamine D pour être en bonne santé. La moitié de la population française présente une carence en vitamine D ; c'est pourquoi une supplémentation peut être prescrite par le médecin.

Les ongles et les cheveux continuent à pousser après la mort

FAUX

L'idée remonte peut-être à un récit qui nous vient de la *Belle Poule*, le navire de guerre ayant accueilli le cercueil de Napoléon Ier pour le rapatrier de Sainte-Hélène en France en 1840, quelque 20 ans après la mort de l'empereur. Dans un procès-verbal signé du chirurgien-major de la frégate, premier témoin de l'ouverture du cercueil impérial, on peut lire un descriptif complet du corps de Napoléon, très bien conservé et reconnaissable d'emblée. Parmi les détails indiqués, on découvre que la barbe de l'empereur « semblait avoir poussé après la mort ».

En réalité, ni les cheveux ni les ongles, tous composés de kératine, ne continuent à pousser après la mort. Comme pour tout autre tissu ou organe de notre corps, leur croissance est liée à différents mécanismes inhérents à la physiologie des êtres... vivants ! Ainsi, il faut notamment miser sur le travail des hormones et compter environ 170 jours – soit près de 6 mois – pour qu'un ongle de la main se renouvelle entièrement, les ongles des orteils mettant un peu plus de temps à pousser. Et s'il est probable que certaines fonctions biologiques ne s'arrêtent pas tout net au décès, on ne peut pas dire que les ongles et les cheveux continuent à pousser après la mort.

Cette idée reçue vient probablement d'une illusion d'optique. Naturellement, le corps d'une personne décédée perd sa concentration en eau – autrement dit, il se déshydrate. Or, en s'asséchant, la peau tend à se rétracter, ce qui peut donner l'impression, sur le contour des ongles et à la racine des cheveux, que ces tissus poussent encore.

Les taches blanches sur les ongles sont dues à un manque de calcium

FAUX

Est-ce la couleur de ces taches – le blanc des produits laitiers – qui aurait inspiré l'idée qu'elles sont dues à un manque de calcium ? Notre organisme aurait donc intégré ce code couleur et l'utiliserait même pour communiquer avec nous !

Gardons cette idée reçue comme point de départ d'un excellent scénario autour de l'homme augmenté et de ses superpouvoirs : de la science-fiction. Car, dans la réalité, l'organisme ne communique pas avec la psyché en utilisant un quelconque code couleurs. Naturellement, les ongles poussent avec régularité. Mais, parfois, un événement peut induire un bref arrêt dans cette croissance continue. C'est cette pause qui s'inscrit dans la tache blanche : une grande fatigue, ou un microtraumatisme, dû à un geste de manucure, par exemple. Finalement, l'ongle reprend sa croissance et la tache apparaît. Elle monte sur l'ongle en même temps que celui-ci pousse et finit par disparaître quand on le coupe.

Pas la peine, donc, de manger des kilos de yaourt ou de boire des litres de lait pour enrayer le phénomène : prenez plutôt soin de vos mains, et elles vous le rendront bien !

COMMENT SE DÉBARRASSER D'UNE VERRUE CUTANÉE ?

La verrue a mauvaise réputation. Il faut dire que, dans les contes de fées, elle est l'apanage des sorcières et des crapauds. Mais laissons la fiction pour une réalité beaucoup moins angoissante, puisque la verrue n'est qu'une petite tumeur cutanée bénigne. Une excroissance de peau, causée par un virus du type papillomavirus, qui touche environ 1 individu sur 4, notamment les enfants. Bonne nouvelle : elle disparaît spontanément dans les 2 ans suivant son apparition, mais puisqu'on la trouve disgracieuse et parfois gênante, on préfère souvent s'en débarrasser au plus vite.

L'HERBE À VERRUES
Une mauvaise herbe prometteuse

La chélidoine, dotée de fleurs jaunes à quatre pétales, est considérée depuis bien longtemps comme une astuce naturelle pour chasser les verrues. Le traitement, tel qu'il se transmet, consiste à couper une feuille en deux pour en extraire la sève orangée afin de l'appliquer sur la verrue plusieurs fois par jour jusqu'à ce que l'excroissance disparaisse. Parmi les remèdes de grand-mère contre les verrues, on trouve aussi l'extrait d'ail, l'écorce de citron, le vinaigre blanc, l'argile verte, la peau de banane, les limaces... À vous de tenter votre chance ! Sachez toutefois que la chélidoine, très irritante, doit être appliquée avec précaution et sans dépasser sur la peau saine. On doit avouer avoir tenté de faire disparaître une verrue par ce moyen pendant la rédaction de ce livre, et ça a fonctionné !

SOUFFLER LE FROID !
Une solution vraiment efficace ?

Parmi les traitements existants, il y a la séance de cryothérapie chez le dermatologue. Il s'agit d'appliquer sur la verrue de l'azote liquide, très froid, censé faire disparaître la verrue après une ou plusieurs séances. Bien que cette technique soit pratiquée par les dermatologues, on ne dispose pas de preuves absolues de son efficacité. La cryothérapie, chère et douloureuse, ne serait donc ni meilleure ni pire que d'autres traitements, ou même la simple patience, sans aucun traitement particulier.

LES PRODUITS DE PHARMACIE
Une offre pléthorique

Sous forme de crème ou de stylo, l'offre est vaste, tant la verrue est répandue. Des nombreuses études consacrées à son traitement, il ressort que ceux contenant de l'acide salicylique se révèlent généralement plus efficaces que les autres. Ou plutôt moins inefficaces !

AVEC UN SIMPLE SPARADRAP
Vous y croyez, vous ?

L'idée paraît presque trop simple pour être efficace : appliquer une bandelette de sparadrap sur la verrue et la laisser en place jusqu'à ce que cette dernière disparaisse. Pourtant, des chercheurs se sont penchés sur la question et ont comparé cette technique avec la cryothérapie. Pour cette étude, 26 patients ont été traités par sparadrap et 25 par cryothérapie. Au bout de 1 mois en moyenne, la verrue avait disparu chez 85 % des patients à qui l'on avait mis du sparadrap, contre seulement 60 % des verrues traitées par cryothérapie. Problème : quelques années plus tard, une autre étude a comparé l'utilisation du ruban adhésif à un placebo, et le bénéfice du premier n'était pas signifiant.

LUNE ET MAGNÉTISME
Au-delà de la science...

Dans la famille des traitements alternatifs, certains proposent de présenter la verrue au ciel, les nuits de pleine lune, ou encore de s'en remettre à un magnétiseur. Aucune étude n'a validé l'une ou l'autre de ces approches, mais, à part un courant d'air en ôtant vos chaussons sous la lune, vous ne risquez pas grand-chose à tenter l'expérience !

FINALEMENT, À QUELLE MÉTHODE SE FIER ?

Quand la médecine conventionnelle peine à proposer une solution efficace, l'offre alternative s'étoffe, comme l'illustre cette page ! Libre cours à votre inspiration : tentez ce que vous souhaitez, puisqu'aucune recommandation ne favorise franchement une méthode plutôt qu'une autre... À moins qu'on n'ajoute la patience sur la liste des tactiques proposées : en effet, la verrue disparaît naturellement dans les 2 ans suivant son apparition.

Les poils repoussent plus dru après avoir été rasés

FAUX

Voilà une légende qui dure, peut-être parce que chacun peut constater que le poil tout juste rasé sur les jambes, le menton ou les aisselles semble avoir poussé bien plus vite et plus épais que son prédécesseur. Mais à quoi ressemblerait alors la barbe d'un retraité qui se serait rasé depuis ses premiers poils au menton ? À une véritable forêt de séquoias !

En réalité, l'épaisseur et la rapidité de la repousse ne se jouent pas au rasage. La première relève principalement de facteurs génétiques ; la seconde se détermine en amont du rasage, sous la peau, dans le bulbe du poil. On estime que, toutes zones du corps confondues, la repousse varie entre 0,25 et 0,5 mm par jour.

Si le poil tout juste rasé semble dru à la repousse, c'est parce qu'il est tout neuf et ne s'est pas encore usé au contact de vêtements ou sous l'effet d'autres frottements ! À l'inverse, on observe que la densité des poils diminue avec l'âge.

Enfin, on constate une inégalité dans la croissance des poils : si certains peuvent pousser longtemps, et donc devenir très longs, comme les cheveux, d'autres ont une croissance plus courte et ne pourront donc pas dépasser une certaine longueur. Ainsi, un cheveu peut croître et s'allonger pendant 8 ans, alors que sur les jambes ou les aisselles, la croissance ne dépassant pas 6 mois, les poils font rarement plus de 3 cm.

Si l'on arrache un cheveu blanc, il en repoussera plusieurs

FAUX

Cette idée reçue connaît des variantes : deux cheveux, dix ou une armée entière qui repousseraient en lieu et place d'un unique cheveu blanc arraché. Une sorte de punition pour avoir tenté de masquer les signes du temps qui passe ! Et avec les dents, cela fonctionne-t-il aussi ? Plus sérieusement, revenons à la physiologie du cheveu, pour y voir clair.

Comme tous les poils du corps humain, le cheveu prend racine sous la peau, comme dans une poche, dans ce qu'on appelle le follicule pileux. En temps normal, le cheveu connaît un cycle de vie en trois temps : il pousse, puis cesse de croître et finit par tomber. À ce moment-là, le follicule se met en sommeil, avant de reprendre une activité et d'accueillir le cheveu suivant. On estime que, dans une vie, chaque follicule verra naître une quinzaine de cheveux.

Ce qu'il faut retenir pour savoir si cette idée reçue est fondée ou pas, c'est qu'un follicule donne lieu à un cheveu à la fois. Aussi, arracher ce cheveu ne permettra pas de faire émerger de nouveaux follicules... Au mieux, cela fera de la place pour que le cheveu suivant prenne, à son tour, racine.

Une mauvaise haleine est liée à un mauvais brossage des dents

Même si la conversation est passionnante, la mauvaise haleine d'un interlocuteur peut donner envie d'y mettre un terme. D'autant que, bien souvent, on met cette halitose sur le compte d'une mauvaise hygiène bucco-dentaire. Une fois n'est pas coutume, cette idée reçue est moitié vraie, moitié fausse.

Dans certains cas, la mauvaise haleine est, en effet, la conséquence logique d'un brossage de dents inefficace. Le brossage vise à éliminer la plaque dentaire, qui n'est autre qu'un dépôt alimentaire sur lequel se développent des bactéries. Ces bactéries produisent des composés sulfurés volatils qui, s'ils sont trop nombreux, causent une mauvaise haleine. Pour l'éviter, il faut donc soigner son hygiène dentaire et se brosser soigneusement les dents deux fois par jour, sans oublier de passer le fil dentaire entre les dents. L'idéal est aussi de faire procéder à un détartrage tous les 6 mois, le tartre résultant d'une plaque dentaire bien installée et durcie.

Mais voilà que certaines personnes – qui pourtant se lavent les dents avec application – souffrent malgré tout d'halitose. Dans ce cas, l'anatomie de la langue peut être en cause. En effet, sur le dos de la langue, tout au fond de la bouche, des replis peuvent favoriser la rétention de plaque dentaire. Il existe des brosses dédiées à la langue, parfois dénommées « gratte-langue », permettant d'éliminer les bactéries qui vous polluent la vie... et l'haleine.

Si les gencives saignent, c'est parce que l'on brosse trop fort

FAUX

Parfois, c'est en croquant dans une pomme, mais le plus souvent, c'est au moment de se brosser les dents que les gencives se mettent à saigner. Du coup, on pense inévitablement que le brossage était trop énergique, et pour éviter que les saignements ne se reproduisent, on arrête de se brosser les dents. Logique, pensez-vous ?

Eh bien, non. En réalité, c'est tout le contraire ! Ces saignements sont généralement le signe d'une petite gingivite, une inflammation de la gencive probablement due à un mauvais brossage. En effet, au fil du temps, la plaque dentaire (qui renferme des bactéries) s'accumule à la surface des dents. Si on ne l'élimine pas en les brossant correctement, cette plaque dentaire peut proliférer jusqu'à atteindre la gencive. Une inflammation se produit alors et se manifeste par des saignements, notamment au moment du brossage. On a souvent le réflexe d'établir un lien de cause à effet et donc d'arrêter le brossage. Au contraire, pour y remédier, le premier réflexe devrait consister à se brosser les dents plus longtemps que d'habitude et à s'offrir des bains de bouche. Il est également important de faire procéder régulièrement à un détartrage.

Dans tous les cas, une gencive qui saigne, c'est une gencive qui souffre, et c'est anormal. Si l'on peut souvent l'interpréter comme le signe d'une gingivite légère, ces saignements peuvent parfois cacher d'autres pathologies. Il est donc recommandé de consulter un dentiste et, au mieux, ce sera l'occasion de bénéficier d'un détartrage classique !

Une brosse à dents à poils durs est plus efficace qu'une brosse à poils souples

FAUX

On a souvent tendance à calquer des logiques familières sur des situations que l'on maîtrise moins. Cette façon de penser, par comparaison, peut s'avérer pertinente, mais il existe plus d'une exception à la règle. Ainsi, parce que l'on sait qu'un brossage vigoureux permettra de lustrer un sol ou de décrasser une surface très sale, on choisit un outil adapté et l'on préfère un balai à poils durs au balai à poils souples. Ça, c'est pour le nettoyage ménager. Et pour les dents, faut-il faire de même ?

À CHACUN SON TYPE DE BROSSE

Au fil de la journée – à force de repas et de salivation –, la plaque dentaire prolifère : cette pellicule composée de débris alimentaires et de bactéries se dépose sur nos dents. Leur brossage régulier vise à éliminer ce film de saletés. Compte tenu de ce qui est écrit plus haut, on pourrait penser qu'une brosse à poils durs serait la plus efficace pour se débarrasser de la plaque dentaire. Mais si l'idée est pertinente pour certains utilisateurs, elle est très mauvaise pour d'autres bouches... Et cela n'a rien à voir avec la quantité de plaque dentaire à décoller : la brosse choisie doit convenir aux dents de l'utilisateur, mais surtout à ses gencives. Chez certains, la gencive est fine, et une brosse à poils durs risque de l'agresser et de l'abîmer. Mieux vaut donc demander conseil à son dentiste. Certains professionnels estiment en effet que le choix de la brosse à dents est un acte médical qui devrait faire l'objet d'une prescription. En effet, vu le nombre de fois où l'on est amené à se brosser les dents au cours d'une vie, mieux vaut prendre l'exercice au sérieux et adopter les bons gestes le plus tôt possible.

LES PLUS DE L'ÉLECTRIQUE

Brosse à poils durs ou souples ? Manuelle ou électrique ? À l'heure du choix, les études sont éclairantes et démontrent une meilleure efficacité des brosses à dents électriques par rapport aux brosses manuelles pour éliminer la plaque dentaire. Des chercheurs ont ainsi compilé 56 études, pour lesquelles les participants étaient partagés en deux groupes : les uns étaient amenés à utiliser des brosses manuelles, les autres des brosses électriques. Résultat : en comparaison avec la brosse manuelle, la brosse à dents électrique assure une réduction de 21 % de la plaque dentaire après 3 mois d'utilisation. Cette compilation d'études démontre aussi que les cas de gingivite (inflammation de la gencive) sont moins importants de 6 % chez les utilisateurs d'une brosse à dents électrique. Ajoutez à cela le fait que, au fil du temps, les modèles se perfectionnent, certains disposant d'un indicateur de pression pour éviter d'appuyer trop fort et, donc, d'abîmer la gencive...

LES BONS GESTES

Reste à savoir utiliser correctement sa brosse à dents, car les modèles manuels ou électriques ne doivent pas être manipulés de la même manière. Si l'on sait qu'une brosse manuelle se passe de la gencive vers la dent, il faut tout réapprendre avec une brosse à dents électrique ! Celle-ci doit être positionnée entre la gencive et la dent. On la laisse osciller 5 secondes avant de la déplacer un peu, jusqu'à avoir parcouru toute la surface des dents, à l'extérieur comme à l'intérieur de la mâchoire. On considère que 2 minutes de brossage suffisent avec une brosse électrique, contre 3 minutes avec un modèle manuel. Un élément ne change pas, dans les deux cas : l'importance du fil dentaire, pour nettoyer entre les dents.

Il faut se brosser les dents
matin, midi et soir

~~~~~~~

FAUX

Puisqu'un adulte prend habituellement trois repas au cours d'une journée, il devrait donc se brosser les dents trois fois par jour. C'est logique : un brossage après le petit déjeuner, un autre après le déjeuner et un dernier après le dîner.

À la mi-journée, ça n'est pas évident d'apporter sa brosse à dents sur son lieu de travail, alors les vendeurs de chewing-gums sans sucre se sont engouffrés dans la brèche pour vanter les mérites de leurs produits. Triomphe du marketing, pensez-vous ? Pas seulement, car des études scientifiques ont démontré que le fait de mâcher un chewing-gum sans sucre pendant au moins 20 minutes participait à la prévention de la carie dentaire. Incroyable, n'est-ce pas ? Et finalement assez logique. En mastiquant ainsi, on produit davantage de salive, ce qui a pour effet de chasser les résidus alimentaires et de limiter la formation de la plaque dentaire.

En même temps qu'elle reconnaît l'intérêt de la mastication de chewing-gum, l'Union française pour la santé bucco-dentaire recommande deux brossages par jour et non plus trois, tout en précisant que la mastication de chewing-gum ne remplace pas un brossage efficace... et que les chewing-gums doivent toujours être sans sucre ! Certains portent d'ailleurs le label UFSBD.

À l'inverse, un excès de brossage peut nuire à la bonne santé de nos dents. Une alimentation acide, le reflux et, en plus, des brossages agressifs finissent par user l'émail. On oublie donc le troisième brossage, mais on s'adonne aux deux autres avec efficacité !

Des dents en bonne santé
sont bien blanches

FAUX

Des dents blanches et saines : c'est la double promesse que partagent de nombreuses publicités pour des dentifrices. Comme si l'une n'allait pas sans l'autre. Comme si l'éclat des dents reflétait leur bonne santé.

Pourtant, le lien n'a rien d'une évidence. Regardons une dent en coupe... Elle est recouverte d'émail, un tissu très minéralisé, considéré comme le plus dur du corps humain, qui la protège des agressions extérieures. Ce tissu translucide confère aussi de la brillance à la dent. Dessous, on trouve la dentine, qui lui donne sa couleur. En réalité, cette couleur est définie génétiquement. Ainsi, certaines personnes ont des dents blanches, d'autres des dents plus ou moins jaunes, et d'autres, enfin, des dents de couleur grise. En déterminant la teinte de nos dents (ou plutôt de notre dentine), la génétique ne programme pas leur santé ; ainsi, des dents jaunes peuvent être de très bonne constitution et parfaitement saines.

Mais, au fil du temps, la couche d'émail s'amincit : sous l'effet des multiples brossages et d'aliments acides, l'émail s'érode et renvoie moins la lumière. Par le même processus, la couleur de certains aliments – le café, la sauce soja, le vin rouge et le chocolat, entre autres – peut s'infiltrer et influer sur celle de la dentine. Des dents très jaunes peuvent donc être le signe d'un émail abîmé.

Des dents éclatantes continuant d'être une référence, certains prennent la décision de faire blanchir les leurs.

ALLÔ MAMAN BOBO

—

Petits maux, virus et douleurs

Le Coca-Cola®
soigne la turista

〜〜〜

FAUX

Nausées, maux d'estomac, diarrhées et vomissements : pas de doute, ce sont les symptômes de la gastro-entérite. Cette maladie, souvent due à un virus, nous rend tout raplapla pendant plusieurs jours. Alors, cela ressemble à un slogan publicitaire, mais le Coca-Cola®, comme on l'entend souvent, est-il vraiment le remède miracle contre la turista ?

À ce rythme de diarrhées et de vomissements, on risque de se déshydrater rapidement. Il est donc essentiel de boire beaucoup. On peut imaginer absorber régulièrement des petites quantités d'eau, de tisane sucrée ou, en effet, de soda. Le Coca-Cola® n'est ni meilleur ni pire que ses concurrents. L'idée reçue en sa faveur vient probablement du fait que c'est un pharmacien américain qui a mis au point sa composition. En réalité, les sodas ont en commun d'être tous très sucrés et le sucre est réputé pour donner de l'énergie à court terme. Quant au gaz qu'ils contiennent, il est recommandé d'éliminer les bulles en les secouant, afin d'éviter tout ballonnement supplémentaire au malade.

Dans certains cas, ces astuces de grand-mère ne suffisent pas. Ainsi, il faut se montrer très vigilant avec les jeunes enfants, dont la proportion d'eau dans l'organisme est plus élevée que chez les adultes : un nourrisson peut perdre jusqu'à 15 % de son poids en liquide et donc en sels minéraux. Pour les plus petits, il faut absolument compenser ces pertes et consulter rapidement pour éviter toute dégradation de leur état de santé.

Dans les cas moins critiques, des aliments peuvent participer à la remise sur pied du malade : des carottes cuites, du riz ou des fruits secs. En revanche, mieux vaut éviter les fibres végétales et les aliments acides.

La déshydratation menace surtout en été

L'organisme humain est composé d'eau aux deux tiers. Une hydratation suffisante est donc essentielle à son bon fonctionnement, et ce, tout au long de la journée, car il ne dispose pas de réserves. Au contraire : à travers l'urine, la transpiration, les larmes et la respiration, on élimine de l'eau en permanence, alors même que cette substance est indispensable à notre survie.

Durant l'été 2003, une canicule a frappé la France et provoqué une vague de décès chez les personnes âgées et fragiles, en partie causée par la déshydratation. Un été très chaud et des personnes âgées qui ne ressentent pas toujours la sensation de soif... de ces deux facteurs, nous avons tiré des leçons : ne pas laisser seules les personnes vulnérables et les inciter à boire régulièrement.

Cela étant, le phénomène de déshydratation menace également en hiver, quand les températures chutent. Quand il fait froid dehors, on a tendance à rester confiné et à surchauffer les logements. Dehors, l'air est froid et sec, moins chargé en vapeur d'eau. Résultat : on se déshydrate d'autant plus vite que l'on ressent moins la soif.

Été comme hiver, il faut donc boire régulièrement et rester attentif à certains symptômes, comme la soif, évidemment, mais aussi la léthargie, les lèvres sèches, les crampes ou les maux de tête. Vigilance aussi face aux diarrhées du nourrisson et du jeune enfant, qui lui font courir le risque d'une déshydratation. Si vous constatez que votre enfant a des selles plus liquides et plus fréquentes que d'habitude, proposez-lui régulièrement de boire une solution de réhydratation, que vous trouverez en pharmacie.

On attrape froid
dans un courant d'air

~~~~~~~

FAUX

« **Ferme ton manteau et mets ton bonnet, sinon tu risques d'attraper froid !** » À situation saisonnière, recommandations répétitives, avec quelques variantes de cette idée reçue qui nous intéresse et les expressions qui en découlent : le risque consiste parfois à « prendre froid », voire à « attraper la mort »… Rien que ça !

En réalité, on n'attrape jamais le froid… mais généralement un virus, et plus rarement une bactérie. Pour le rhume, on a souvent affaire à un membre de la famille des rhinovirus ou de celle des coronavirus. Sans un virus de ce genre, et même si l'on vous met dans une situation qui prête à frissonner – en maillot de bain dans une pièce à 4 °C, par exemple –, aucun risque d'attraper un rhume ou la grippe.

Mais alors, qu'est-ce que l'hiver a de plus que l'été pour favoriser ces microbes ? Notre système immunitaire est-il affaibli à cette époque de l'année ? Cette approche est suggérée par certains travaux. Nous transmettons-nous davantage les virus en nous retrouvant dans des lieux confinés pour éviter le froid ?

Cette hypothèse aussi a été avancée, il y a quelques années. Mais surtout, des études ont démontré un fait essentiel : les virus comme ceux de la grippe survivent mieux et plus longtemps à des basses températures et par temps sec… Ce qui correspond en tout point à nos hivers ! Ces conditions météo leur donnent également l'occasion de se répliquer et de poursuivre leur travail d'infection, parfois jusqu'à l'épidémie. D'après des chercheurs suédois, une chute brutale de la température au-dessous de 0 °C donne le top départ à une épidémie de grippe.

Quand on saigne du nez,
il faut pencher la tête en arrière

FAUX

C'est un phénomène banal : sans crier gare, du sang coule d'une narine, d'un enfant le plus souvent. Première réaction de l'adulte en présence : pencher la tête de l'enfant en arrière, le temps d'aller chercher un morceau de coton, qu'il tourne en mèche avant de l'introduire dans la narine.

Le saignement de nez, que l'on appelle une épistaxis, n'est généralement pas grave : c'est une petite hémorragie de la muqueuse. Une rhinite, un grattage, la sécheresse de l'air ou un vaporisateur nasal peuvent provoquer un tel saignement. Si celui-ci est peu abondant, on le prend en charge soi-même, mais certainement pas en penchant la tête de la personne en arrière !

On commence par moucher délicatement le nez pour en faire sortir d'éventuels caillots de sang. Ensuite, il est conseillé d'asseoir la personne et de lui pencher la tête légèrement en avant ; en arrière, elle pourrait avaler son sang et avoir la nausée. Pour arrêter l'hémorragie, il faut ensuite pincer les narines pendant 10 minutes, en plaçant ses doigts (pouce et index) sous la partie osseuse : cela laisse le temps à la plaie de coaguler. Une autre méthode consiste à appliquer de la glace sur le nez pour provoquer une vasoconstriction et ainsi stopper l'écoulement de sang.

Ces conseils valent pour un saignement classique. Mais dans certains cas, pas question de prendre en charge l'épistaxis à la maison : si le sang coule à flots par les deux narines, si le patient est hémophile, s'il présente d'autres symptômes (battements du cœur rapides, agitation, malaise, etc.), ou s'il a été victime d'un grave traumatisme, comme une chute ou un accident de la route, on fait immédiatement appel aux services d'urgence et on comprime l'hémorragie en attendant la prise en charge par des professionnels.

On peut attraper le tétanos à cause d'un clou rouillé

VRAI

On a presque oublié cette maladie, et c'est tant mieux. Elle est caractérisée par des contractures très douloureuses pouvant toucher tous les muscles du corps et, finalement, peut s'avérer mortelle. Un simple clou rouillé suffit-il pour l'attraper, comme on l'a souvent entendu dire ?

Le tétanos est une maladie infectieuse causée par une toxine produite par le bacille *Clostridium tetani*. On trouve cette bactérie dans le tube digestif des mammifères, dans leurs déjections, et finalement sous la forme de spores, dans la terre. Les objets et les plantes en contact avec la terre se retrouvent donc potentiellement vecteurs du bacille. Mais pour que la toxine se transmette à l'homme, il faut une plaie : c'est certainement de ce fait que provient l'idée d'une transmission par la piqûre d'une épine ou par un clou rouillé. Une idée fondée, et valable pour tout ce qui peut traîner dans la terre : un outil oublié ou une écharde provenant d'un morceau de bois, par exemple.

La vaccination contre le tétanos, obligatoire en France, a en effet permis de faire chuter le nombre de cas – entre 2005 et 2007, 41 cas de tétanos ont été déclarés, et parmi les victimes, 13 sont décédées.

Lecteur jardinier, pensez donc à vérifier si vous êtes à jour de vos vaccinations. Et dans le doute, parlez-en à votre médecin. Car si l'on est très attentif au carnet de santé des enfants, des rappels sont aussi prévus tous les 10 ans pour les adultes.

On ne peut avoir la varicelle qu'une fois dans sa vie

FAUX mais...

De la fièvre ? Des boutons qui se multiplient, qui forment de petites vésicules et grattent toujours plus ? Pas de doute, c'est la varicelle. Une maladie infectieuse très répandue chez les enfants, dont les complications sont rares.

La guérison survient sous 10 jours environ, et après : fini pour la vie ! La varicelle est définie comme étant immunisante, c'est-à-dire que la personne l'ayant attrapée une fois est ensuite immunisée contre le virus et ne pourra plus l'attraper. Voilà ce qui est admis, mais à chaque règle ses exceptions !

Si c'est très généralement le cas, les pédiatres considèrent cependant aujourd'hui qu'une même personne peut attraper deux fois la varicelle. La maladie reste donc globalement immunisante... mais pas totalement ! Parfois, le premier épisode s'est révélé plutôt léger et n'a pas permis à l'organisme de générer une réaction immunitaire suffisante. Dans d'autres cas, la personne immunodéprimée est touchée par un second épisode. Une étude a montré l'existence de cas récidivants – entre deux et cinq fois ! – chez des enfants au système immunitaire apparemment compétent. Il existe des sous-familles de virus, et si l'on a été immunisé contre l'une d'elles, on ne l'est pas forcément contre toutes.

Ne vous inquiétez donc pas de voir les petits boutons à vésicules réapparaître sur le corps de votre enfant : prenez rendez-vous avec le médecin, et si le petit a de la fièvre, donnez-lui du paracétamol, rien d'autre. Arrêtons ici : vous connaissez déjà tous les bons conseils puisque vous êtes déjà passé par là... Bon courage !

LES APHTES

Il arrive sans crier gare, d'autant qu'il est minuscule : quelques millimètres tout au plus. L'aphte, cette petite ulcération de la bouche, n'a l'air de rien à première vue : un petit point jaune ou gris sur une base bien rouge. Il s'installe sur la langue ou à l'intérieur des lèvres et des joues, le plus souvent. Il n'a rien de grave et guérit spontanément, mais il empoisonne la vie. Même s'il est tout petit, la sensation qu'il produit dans la bouche prend, elle, toute la place. Il est même capable de gâcher des repas et de rendre douloureux le brossage des dents. D'où vient-il ? Comment soulager cette gêne, voire éliminer l'aphte ? Petit tour d'horizon de ce qui se fait et de ce qu'il faut faire.

LA CONSOMMATION DE COMTÉ DONNE DES APHTES
Et le fromage n'est pas le seul coupable !

Peut-être l'avez-vous expérimenté : certains aliments sont plus prompts que d'autres à vous donner des aphtes. Ainsi, certains fromages à pâte dure comme le gruyère, mais aussi les tomates, les noix ou les cacahuètes ont l'air de favoriser leur apparition. C'est aussi parfois le cas des fraises.

DES FACTEURS DÉCLENCHANTS ?
Plus qu'on ne le croit...

On ne connaît pas exactement la cause des aphtes, mais certains facteurs semblent favoriser leur apparition : outre des aliments, comme on l'a vu, le stress, la fatigue, des traumatismes liés au port d'un appareil dentaire, la période des règles et certains médicaments (anti-inflammatoires non stéroïdiens et bêtabloquants). Il est probable qu'un terrain immunodéprimé favorise également l'apparition d'un aphte.

ON ARRÊTE DE MANGER POUR APAISER LES APHTES
Pas un régime sec mais un régime adapté

Évidemment, il ne s'agit pas de cesser toute alimentation ! Mais la première chose à faire si l'aphte est apparu après l'ingestion d'un aliment, c'est d'éviter la consommation de cet aliment et, globalement, de ceux qui sont susceptibles de vous donner des aphtes. Ensuite, il est conseillé de manger froid (à vous les crèmes glacées !) pour apaiser la douleur. À l'inverse, des aliments chauds pourraient entretenir les aphtes. Enfin, choisissez une brosse à dents à poils souples et un dentifrice sans sodium lauryl sulfate, un détergent irritant pour les muqueuses.

UN APHTE DISPARAÎT TOUT SEUL SOUS 15 JOURS
Bonne nouvelle !

Il est vrai aussi qu'il ne laissera pas de cicatrice et qu'il ne risque pas de contaminer une autre personne. Mais malgré cet aspect bénin, quand on souffre, 2 semaines, ça ressemble à une éternité ! On peut tenter d'apaiser la douleur avec du paracétamol, pour commencer. Les solutions proposées en pharmacie ne peuvent rien pour soigner un aphte ; elles agissent tout au plus comme un pansement, un film qui insensibilise pendant un petit moment et limite (un peu) la sensation désagréable dans la bouche. Puisque l'aphte se fait particulièrement sentir au moment des repas, on peut appliquer le produit avant de passer à table. Pour certaines personnes, l'aphte est insupportable, et elles veulent s'en débarrasser au plus vite. Le seul traitement efficace consiste alors en une sorte de cautérisation pratiquée par le dentiste, qui brûle l'aphte avec de l'acide trichloracétique. Certains praticiens proposent de prévenir la récidive en stimulant les défenses immunitaires du patient, par la prescription, notamment, d'une supplémentation en zinc.

DANS QUELS CAS FAUT-IL ÊTRE VIGILANT ET CONSULTER UN MÉDECIN ?

- Si les aphtes sont à répétition, cela peut être le signe d'une autre affection ou d'une pathologie : carence (en vitamine B12, en zinc, en fer), maladie cœliaque ou de Crohn, maladie de Behçet.
- Si l'aphte mesure plus de 1 cm, ne guérit pas spontanément après 15 jours, ou si vous en avez beaucoup.
- Si l'aphte s'accompagne d'autres symptômes, comme de la fièvre, des douleurs articulaires ou des diarrhées, des aphtes sur d'autres parties du corps comme les organes génitaux.

Les maladies sexuellement transmissibles ne sont pas graves

FAUX

Si cette idée reçue n'a pas été relevée dans des dîners en ville, elle circule beaucoup dans les services hospitaliers dédiés aux maladies infectieuses : puisque l'on sait soigner les infections sexuellement transmissibles (IST), elles ne sont pas graves ni dangereuses. D'ailleurs, on y avance aussi que le sida ne tue plus, car l'on peut traiter les malades. Il est temps de faire une mise au point.

En matière de gravité, tout est une question de point de vue. Si l'on place le curseur sur le danger de mort, certes, cette idée reçue se comprend. Mais si l'on considère les complications, il y a quand même de quoi s'inquiéter : la blennorragie (ou « chaude-pisse ») peut induire une stérilité ou une infection des articulations ; l'hépatite B fait planer le risque d'une cirrhose ou d'un cancer du foie ; certains papillomavirus sont impliqués dans le risque de cancer du col de l'utérus ; et la syphilis peut provoquer des atteintes des yeux, des nerfs ou du cerveau. Par ailleurs, certaines IST, comme le VIH, la syphilis, l'herpès ou l'hépatite B, peuvent se transmettre au nouveau-né si la mère n'est pas traitée. Les infections sexuellement transmissibles ne sont donc pas à considérer comme des incidents anodins.

Aujourd'hui, les spécialistes constatent une flambée d'infections sexuellement transmissibles, et pas des moindres : des virus multirésistants aux antibiotiques au retour de maladies anciennes... Si la science progresse et, dans bien des cas, permet aux malades de vivre mieux et plus longtemps, ils n'en demeurent pas moins malades. La prévention reste donc la meilleure parade aux IST, et elle repose sur le port du préservatif, masculin ou féminin.

Les moustiques peuvent transmettre le sida

FAUX

Les premiers cas de sida sont apparus dans les années 1980. À l'époque, on ne sait pas bien de quoi il s'agit, mais on s'aperçoit que l'épidémie touche notamment les consommateurs de drogue par voie intraveineuse. Supposition d'alors : si le sida peut se transmettre par la piqûre d'une aiguille, alors la piqûre du moustique pourrait également en être un vecteur ! Cette idée reçue circule parmi d'autres, tout aussi angoissantes.

En amont du sida se trouve le VIH, virus de l'immunodéficience humaine, qui se transmet et détruit progressivement des cellules du système immunitaire. Au fil du temps, l'organisme ne parvient plus à se protéger et certaines maladies, dites « opportunistes », profitent de l'affaiblissement des défenses immunitaires pour se développer. Quand une personne arrive à ce stade de la maladie, on dit qu'elle est atteinte du sida.

Au même titre qu'un moustique ne transmettra jamais directement le sida, il n'y a aucun risque qu'il soit vecteur du VIH. En effet, cet insecte n'est pas équipé de récepteurs pour accueillir le virus ; il ne peut donc pas en être atteint. Et s'il pique un humain atteint du VIH, le virus finit par être assimilé et donc détruit dans l'estomac du moustique.

Par ailleurs, soyez également rassuré par la physiologie du moustique : la trompe qui lui permet d'aspirer le sang de sa victime ne fait pas office de seringue ! Pour autant, cette bestiole peut vous transmettre d'autres maladies, comme le paludisme ou le chikungunya. Cela vaut donc la peine de se protéger !

Un baiser
peut être vecteur du sida

~~~~~~

FAUX

Si le virus du sida, que l'on appelle le VIH (virus de l'immunodéficience humaine), ne peut être transmis par un moustique (voir page 101), peut-on l'attraper en embrassant une personne infectée ?

Cela est impossible. La raison en est simple : chez une personne malade, le virus est présent dans le sang, dans le sperme et, en amont, dans le liquide qui s'écoule du sexe de l'homme avant l'éjaculation, dans les sécrétions vaginales féminines et, enfin, dans le lait maternel. En tout, cela fait 5 liquides biologiques. Si la salive en est un également, elle n'est pas concernée !

En effet, le VIH se transmet par un rapport sexuel non protégé, qu'il s'agisse de pénétration vaginale, anale, ou de rapport bouche-sexe (cunnilingus et fellation). Il peut aussi se transmettre par le sang, *via* l'utilisation de matériel d'injection déjà utilisé par une personne porteuse du virus, ou encore de la mère à l'enfant, pendant la grossesse, l'accouchement ou l'allaitement.

Mais en aucun cas un baiser, même fougueux, n'est considéré comme un mode de transmission. D'après les spécialistes, même une petite lésion dans la bouche ne permettrait pas au virus de passer d'une personne à l'autre.

Le VIH a été initialement transmis à l'homme par des relations sexuelles avec un singe

FAUX

Combien d'idées reçues circulent toujours autour du VIH ! Il faut dire que le virus a alimenté bien des fantasmes. Il commence à frapper au début des années 1980 mais n'a pas encore de nom.

Aux États-Unis, plusieurs patients homosexuels sont à l'époque touchés par une pneumonie plutôt rare. Puis les cas se multiplient en même temps que les symptômes : de la fièvre, d'autres maladies rares, comme le sarcome de Kaposi, des affections respiratoires aussi. La recherche avance rapidement et les informations se bousculent : il s'agit d'un virus qui se transmet sexuellement, et l'on dit qu'il est passé du singe à l'homme. Faut-il, pour autant, voir un lien entre ces deux dernières affirmations ?

Toutes deux sont justes, mais il n'y a aucun lien entre elles. Par ailleurs, le virus ne se transmet pas seulement par un rapport sexuel mais aussi par voie sanguine. Une étude publiée en 2015 (et menée, en partie, par une équipe française) confirme que les grands singes sont bien à l'origine du VIH.

Le virus, d'origine simienne donc, aurait muté pour s'adapter à l'homme. D'après les spécialistes, les premières transmissions se sont probablement produites en brousse, lors de chasses, au hasard d'une morsure ou au moment de dépecer la bête avec une main blessée... Rien à voir, donc, avec une transmission sexuelle entre l'animal et l'homme.

LE MAL DE DOS

Rares sont ceux qui ne connaissent pas le mal de dos, qui ne se sont jamais fait un tour de reins. En France, on estime que 80 % des personnes sont, au cours de la vie, victime d'une lombalgie, c'est-à-dire une douleur qui se manifeste dans le bas du dos, au niveau de la région lombaire. Si le mal de dos disparaît spontanément dans la plupart des cas, on ne sait pas toujours quelle attitude adopter pour éviter d'aggraver la situation. Arrêtons-nous sur quelques idées reçues.

IL FAUT ÉVITER DE BOUGER ET NE PAS FAIRE DE SPORT
Pas trop longtemps quand même !

Pour limiter la douleur, on est prêt à tout, et l'idée se répand qu'il faudrait rester allongé jusqu'à ce que cela passe. En réalité, le premier réflexe à adopter en cas de mal de dos est celui qui consiste à soulager la douleur. On peut donc, sans attendre, prendre un antalgique (paracétamol, anti-inflammatoire non stéroïdien). Si le repos peut être salutaire dans les premiers jours, si l'on conseille au patient d'éviter de bouger pendant 48 heures, mieux vaut ne pas rester inactif plus longtemps. Sinon on risque de mettre plus de temps pour récupérer ! À moins d'avoir une activité particulièrement physique et engageant le dos (si l'on est déménageur ou maçon, par exemple), on essaie de maintenir une activité normale et l'on ne s'interdit surtout pas de marcher ! Généralement, on ressent d'ailleurs moins la douleur en marchant qu'en restant assis. Le sport ou l'activité physique ne sont pas des ennemis. Pour éviter de se faire mal, mieux vaut fragmenter l'activité et varier les plaisirs ! On évitera ainsi les tendinites liées à des mouvements répétitifs.

IL FAUT DORMIR SUR UN MATELAS DUR
Et une planche de bois, ça marche ?

Le marketing s'est engouffré dans la brèche de cette douleur si répandue. On trouve des matelas spécialement étudiés pour le mal de dos et, puisque le cou est parfois associé à ces douleurs de dos, des oreillers morphologiques. Inutile de se suréquiper, d'autant plus avec des produits parfois contre-productifs. L'idéal est de choisir un matelas ferme : ni trop mou ni trop dur. L'idée du matelas dur est peut-être inhérente à l'image que l'on a d'une colonne vertébrale en bonne santé : bien droite et alignée. Elle est fausse : en réalité, l'architecture de la colonne comporte une courbure dans le bas du dos. Sans cette courbure, on aurait tendance à se voûter ; il faut donc la respecter. Pour poser la tête, l'idéal est de choisir un oreiller mou qui s'adapte : l'oreiller vendu comme ergonomique ou anatomique, dit « à mémoire de forme », peut être trop dur et n'est certainement pas le mieux adapté.

IL FAUT DORMIR SUR LE DOS
La colonne, droite comme un t ?

On pense souvent qu'il faut s'allonger sur le dos pour remettre la colonne bien à plat. On a vu que la colonne n'était pas droite comme un double décimètre, et il faut surtout négocier avec sa douleur et trouver la position dans laquelle on se sent le mieux.

LE MAL DE DOS EST SOUVENT DÛ À UN DÉPLACEMENT DE VERTÈBRES
Heureusement, non !

Les vertèbres sont solidement attachées les unes aux autres, par les ligaments, les muscles et les tendons. Il y a donc peu de risques que l'une d'elles se déplace, à moins d'un choc particulier : une chute d'échelle ou de cheval, par exemple. Le mal de dos classique est plus généralement lié à une contracture musculaire. Certains facteurs ou périodes de la vie peuvent favoriser la survenue du mal de dos : la grossesse, l'âge, le surpoids, le stress ou le manque d'activité physique. Parfois, il peut être induit par une maladie inflammatoire, une tumeur, une infection localisée ou un traumatisme.

L'infarctus du myocarde se manifeste par une douleur dans la poitrine

Chaque année en France, environ 120 000 personnes sont victimes de ce que l'on appelle communément une « crise cardiaque ». C'est une situation d'extrême urgence médicale, qu'il faut savoir reconnaître pour prévenir les secours le plus rapidement possible.

L'INFARCTUS DU MYOCARDE

Concrètement, l'infarctus du myocarde correspond à la destruction d'une partie du muscle cardiaque, à cause d'un manque d'oxygène. Le processus est déclenché en amont, quand l'artère coronaire, chargée d'alimenter le cœur en sang, est obstruée. Puisque, normalement, le sang transporte l'oxygène, le muscle cardiaque s'en trouve privé et les cellules meurent petit à petit. Cette destruction du tissu cardiaque, même circonscrite, a des répercussions sur tout l'organe : défaut de contraction du muscle, troubles du rythme, insuffisance cardiaque et, éventuellement, arrêt du cœur.

LES SYMPTÔMES

L'un des symptômes de l'infarctus du myocarde les plus connus et relayés est une douleur dans la poitrine, comme si elle était prise dans un étau. La douleur ne diminue pas avec le temps, et peut même s'étendre à la mâchoire, au bras gauche, voire aux deux bras. C'est un signe plus particulièrement masculin de la survenue d'un infarctus ; chez la femme, les douleurs dans la poitrine sont rares. Est-ce à dire que les femmes ne sont pas concernées par la crise cardiaque ? Malheureusement non. Mais on estime que la moitié des femmes de moins de 60 ans ayant été victimes d'un infarctus n'ont pas ressenti le symptôme de douleur dans la poitrine, irradiant éventuellement le bras ou la mâchoire. Or, à méconnaître les symptômes plus spécifiquement féminins, les femmes risquent de perdre un temps précieux.

Voici donc la courte liste des signes qui doivent alerter une femme : un essoufflement à l'effort, une sensation d'épuisement, un malaise et des nausées. Si ces symptômes sont moins signifiants qu'une douleur dans la poitrine, il n'est toutefois pas question de s'inquiéter à chaque coup de fatigue : une sensation d'épuisement après un déménagement est tout à fait normale ! En revanche, une fatigue inexpliquée doit être considérée comme un possible signe d'alerte. D'ailleurs, généralement, ces symptômes plus féminins ne disparaissent pas avec le repos. D'autre part, une femme présentant au moins un facteur de risque cardio-vasculaire – consommation de tabac, hypertension artérielle, cholestérol, diabète, sédentarité – doit se montrer particulièrement vigilante. À l'inverse, le fait de diminuer le risque cardio-vasculaire (en arrêtant de fumer, par exemple) revient à réduire le risque d'infarctus du myocarde.

RÉAGIR AU PLUS VITE !

L'infarctus du myocarde peut causer de graves dégâts et mener jusqu'à la mort. Afin de limiter le risque de séquelles, il est essentiel de réagir au plus vite. Pour joindre les services d'urgence, rien de plus simple : on compose le 15 pour le Samu, le 18 pour les pompiers, ou le 112, numéro unique d'appel d'urgence dans l'Union européenne. Même en cas de doute sur les symptômes observés, mieux vaut appeler : une prise en charge rapide de la victime peut lui sauver la vie.

Plus on vieillit,
moins on perçoit la douleur

FAUX mais...

Le propos fait écho à une autre idée, contraire, et heureusement oubliée aujourd'hui, selon laquelle les très jeunes enfants, les nourrissons notamment, ne souffriraient pas. Comme s'il fallait des mots et des codes d'adulte – comme les échelles de la douleur (voir pages 48, 109, 126 et 127) – pour exprimer une douleur, et ainsi la rendre bien réelle.

Circule l'idée que les personnes atteintes de la maladie d'Alzheimer percevraient moins la douleur physique que les autres. Et comme on associe souvent cette maladie aux personnes âgées (voir page 156), il se crée un lien entre ce ressenti de la douleur et un âge avancé. En réalité, les malades d'Alzheimer peuvent ressentir normalement la douleur, mais, affectés par des troubles du schéma corporel, ils ne sont pas toujours à même d'évaluer correctement cette douleur ni sa localisation. Tout comme le bébé ne peut communiquer au moyen de mots, la personne atteinte de la maladie d'Alzheimer ne sait plus communiquer l'intensité de ce qu'elle ressent. Aussi, un changement de comportement peut être le signe d'une douleur, inexprimée autrement.

Le second aspect qui explique cette idée reçue relève d'une composante psychologique de la douleur que l'on appelle l'intégration cérébrale : à force de souffrir, on perçoit moins la douleur, on s'y habitue. Une personne âgée ayant généralement éprouvé, au fil de sa vie, plus de souffrance qu'une personne jeune, elle l'aura peut-être davantage intégrée. C'est possible, mais cela vaut surtout pour les douleurs chroniques. D'ailleurs, un traitement par anxiolytiques ou antidépresseurs, associé à un traitement antalgique, permet de faciliter l'intégration de la douleur.

Mieux vaut attendre
le plus longtemps possible
avant de soulager une douleur

FAUX

Notre rapport à la souffrance est probablement empreint de culture judéo-chrétienne : le pécheur doit l'éprouver, un peu comme une punition divine... et la femme, pécheresse, enfantera dans la douleur ! Pas question ici de lancer un débat sur la foi, alors revenons à la raison.

La douleur n'a jamais rien apporté de bénéfique, il s'agit plutôt d'un signe à considérer : quelque chose d'anormal se produit dans le corps – infection, allergie, fracture, etc. – et se manifeste par la douleur. Celle-ci doit être prise en charge car il n'y a aucun avantage à la laisser prendre le dessus. Au contraire, un individu qui souffre devient irritable, improductif, il peut même se retrouver incapable de réfléchir, voire sombrer dans la dépression.

La douleur doit donc être soulagée à la hauteur de la souffrance ressentie : une douleur légère peut ainsi se calmer avec du paracétamol, tandis qu'une douleur aiguë justifiera peut-être une injection de morphine. L'important consiste à traiter le patient au bon niveau de douleur, avec la bonne dose de médicament, et tout cela à un bon intervalle. Ainsi, il est inutile de traiter un patient souffrant d'une fracture ouverte avec du paracétamol pour, ensuite, passer au niveau supérieur : il sera sûrement plus pertinent de commencer directement avec de la morphine. Si une douleur revient de manière chronique, il faut consulter un médecin pour s'assurer qu'elle n'est pas liée à une pathologie.

EN PIQÛRE OU EN CACHETS

—

Traitements et soins

Les génériques ne sont pas aussi efficaces que le médicament original

FAUX

Cela fait près de 20 ans que les Français ont découvert les médicaments génériques. Le générique est réalisé à partir de la même molécule que celle du médicament existant, mis au point et commercialisé par un laboratoire, et dont le brevet est tombé dans le domaine public. Mais est-il aussi efficace ?

La consommation de génériques est entrée dans les mœurs des Français : chaque jour, environ 2 millions de boîtes sont vendues à travers le pays. C'est bien, mais on peut encore mieux faire. Il faut dire que les économies réalisées en valent la peine : le générique est, en moyenne, 30 % moins cher que le médicament d'origine (dit princeps) et a déjà permis de réaliser 7 milliards d'euros d'économies sur 5 ans.

C'est peut-être cet aspect financier qui pose problème aux détracteurs du générique, qui ont la sensation qu'il s'agit d'un médicament au rabais, alors que la santé ne se marchande pas. En réalité, il est loin de l'être. Le générique est tenu d'avoir la même composition, la même forme pharmaceutique et les mêmes effets que le médicament d'origine. Il fait d'ailleurs l'objet d'une évaluation par les autorités sanitaires, comme tous les médicaments distribués en France.

L'utilisateur peut être perturbé lorsque son pharmacien lui donne une boîte différente de celle qui lui est familière. Mais il ne faut pas confondre générique et contrefaçon. Ce n'est pas parce qu'à la pharmacie l'on troque son Doliprane® contre du paracétamol que la qualité du médicament en sera inférieure ! En revanche, si vous sortez des sentiers balisés en vous essayant à l'achat en ligne, en dehors des pharmacies autorisées, vous risquez d'être victime de contrefaçons !

Un médicament périmé
peut rendre malade

VRAI

Comme tous les produits consommables, un médicament dispose d'une date limite de consommation. Dès lors, que penser de ces médicaments retrouvés périmés au fond de l'armoire à pharmacie ? Sont-ils encore « bons » ? Ont-ils perdu leur principe actif ? Sont-ils désormais toxiques ?

De manière générale, la date de péremption est déterminée par les fabricants de sorte qu'aucun risque ne soit pris et que, au-delà, le produit conserve théoriquement plus de 90 % de son principe actif. Mais encore faut-il que la qualité du médicament soit intacte.

Outre l'indication figurant sur la boîte, la véritable date de péremption d'un médicament dépend surtout de son mode de conservation : un médicament laissé dans son emballage d'origine à l'abri de la lumière et de l'humidité reste actif durant le temps indiqué sur la boîte, et certainement au-delà. En revanche, s'il a été sorti de son emballage et soumis à l'humidité, le médicament s'est probablement dégradé, et ce même avant la date de péremption indiquée. Enfin, au même titre que le yaourt que vous gardez dans votre réfrigérateur ne se périme pas du jour au lendemain, une fois dépassée la date limite de consommation, un médicament conservé dans de bonnes conditions ne perd pas son principe actif en une nuit dans votre armoire à pharmacie.

Cependant, même si vous ne courez probablement pas de grands risques, à quelques jours près, pour une date de péremption à plusieurs années, mieux vaut demander l'avis du pharmacien. D'autant que, dans des cas très rares (un type d'antibiotiques), un médicament périmé peut se dégrader et devenir toxique.

Il ne faut pas prendre un traitement trop longtemps, sinon on s'y habitue

L'idée que l'on pourrait s'habituer à un médicament fait probablement référence au phénomène d'accoutumance, qui se traduit par une moindre efficacité du médicament. Mais qu'en est-il en réalité ?

La prise régulière de médicaments antalgiques, antidépresseurs ou anxiolytiques, qui agissent sur le système nerveux central, peut entraîner cette accoutumance. C'est pourquoi de tels médicaments pris de manière chronique font l'objet d'une rotation : les médecins prescrivent des molécules qui agissent différemment, pour éviter le phénomène d'accoutumance et, ainsi, la nécessité d'augmenter la dose. On retrouve la même logique dans le traitement du cancer, où, souvent, plusieurs traitements sont associés ; ainsi, si une cellule cancéreuse venait à s'adapter à un type de traitement, elle serait prise en charge par les autres traitements.

En dehors de ces cas très particuliers, il n'est pas nécessaire de changer de traitement – sauf si l'état du patient évolue. Ainsi, certains patients, des personnes âgées notamment, suivent chaque jour une prescription longue comme le bras sans que celle-ci ne soit jamais révisée. Un patient peut s'être vu prescrire des somnifères à un moment difficile de sa vie, ordonnance sur laquelle aucun médecin n'est revenu depuis qu'il va mieux ; il n'en a plus besoin mais continue à les prendre ; il s'est finalement accoutumé à la molécule.

Pour ce qui concerne les maladies chroniques et incurables (hypertension, diabète, VIH), pas question de changer un traitement qui fonctionne. Pris à vie, ces médicaments permettent de dompter la maladie et d'éviter le risque de complications.

Si j'oublie mon médicament à l'heure prévue, j'en prends deux la fois suivante

FAUX mais...

Cela finit toujours par arriver : on part un peu trop rapidement de chez soi en oubliant de prendre son comprimé comme chaque matin… Ou alors il s'agit d'un traitement ponctuel et, là aussi, un comprimé saute, par manque d'habitude. Doit-on « rattraper le coup » et prendre une double dose la fois suivante ?

De manière générale, cela n'est pas nécessaire. Par exemple, dans le traitement de maladies chroniques (diabète, hypertension, cholestérol), un comprimé oublié ne changera rien, puisque le traitement de fond vise à prévenir la maladie et non à traiter une douleur. De la même façon, prendre deux comprimés ne changerait pas grand-chose mais ne rendrait pas non plus le traitement plus efficace.

Pire : dans d'autres cas, les effets d'une double dose peuvent être bien plus graves. Ainsi, une personne qui déciderait de prendre deux comprimés de somnifère ou de bêtabloquant pourrait se retrouver somnolente dans un cas et victime de syncopes dans l'autre ; des effets secondaires particulièrement dangereux si l'on imagine cette même personne au volant…

Quant au cas de la pilule contraceptive, plusieurs possibilités s'offrent à l'utilisatrice, selon le délai d'oubli et le type de pilule prescrit. Pour une pilule combinée ou minidosée, il n'y a pas de risques de grossesse si l'oubli est inférieur à 12 heures ; il faut prendre le comprimé oublié tout de suite et reprendre le rythme normal. Si l'oubli a dépassé les 12 heures, on termine la tablette, mais on prend une contraception d'urgence si l'on a eu un rapport sexuel dans les 5 jours précédant l'oubli et l'on se protège durant les 7 jours suivant l'oubli. Pour une pilule microdosée, le délai est plus court. Dans tous les cas, mieux vaut en parler à son gynécologue.

Un collier d'ambre soulage les douleurs liées à la poussée des dents

FAUX

Adulte, on n'a plus aucun souvenir des douleurs liées à la poussée – et même à la percée – des dents. Pourtant, quand les enfants ou petits-enfants y passent, on ne peut que constater à quel point ils souffrent : fièvre, joues rouges, fesses ultra-sensibles. Rien que d'imaginer la gencive explosant sous la pression de cette dent qui la cisaille donne des frissons d'angoisse. Quelle impuissance, pour les parents ! Certains ne peuvent s'y résoudre et font porter à l'enfant un collier d'ambre, cette résine fossile réputée capable d'apaiser la douleur de cette poussée dentaire.

UNE HISTOIRE D'IONS ?

Difficile de savoir sur quoi repose cette croyance. Peut-être la doit-on à la découverte de la propriété électrostatique de l'ambre jaune par Thalès au VIe siècle avant notre ère : le mathématicien constate que, préalablement frotté, un morceau d'ambre attire à lui des objets légers, comme de la paille ou des plumes. Un socle physique très solide à partir duquel certains ont peut-être extrapolé. Ainsi, les sites marchands de bijoux indiquent que, porté contre la peau, l'ambre dégagerait des ions négatifs, entre autres molécules capables d'agir contre la douleur. Et cette réputation ne date pas d'hier : au XIXe siècle, un médecin raconte que «les matrones suspendent des colliers d'ambre au cou des enfants, pour les garantir des convulsions de la première dentition». La tradition doit ainsi se perpétuer de mère en mère...

UN POUVOIR HYPOTHÉTIQUE

Pourtant, au xviiie siècle déjà, le doute existe, et certains refusent d'attribuer à l'ambre un quelconque pouvoir. L'ambre jaune se trouve même rangé dans la catégorie des amulettes dans une encyclopédie de l'époque, parmi d'autres objets de superstition tels que les os de crapaud, les os de pendu et les morceaux de drap rouge : «Toutes ces substances inertes n'ont absolument aucune vertu», tranche l'auteur, ajoutant qu'«il en est de même des marrons qu'on porte dans la poche pour se préserver des hémorroïdes».

UN RÉEL DANGER

Si la tradition perdure aujourd'hui encore, aucune étude scientifique n'a jamais apporté une quelconque preuve de l'efficacité de l'ambre sur les douleurs dentaires. Pire : ces perles d'ambre enfilées sur un collier porté par le nourrisson posent, en réalité, un sérieux problème. En 2003, le Service mobile d'urgence et de réanimation de Necker a recensé 30 décès d'enfants par étranglement ; les colliers et chaînettes sont alors mis en cause. En 2012, la Société française de pédiatrie met en garde contre le « risque d'étranglement ou d'inhalation des perles» constitutives de ces colliers dits de dentition. Le discours s'adresse aux parents, mais aussi aux professionnels de la santé : en 2013, l'ordre des pharmaciens a rappelé aux officines qu'il était interdit de vendre des colliers d'ambre, invoquant «l'absence de preuve scientifique de leur efficacité et leur dangerosité liée aux risques d'étranglement». L'article concluait sur le thème en rappelant aux pharmaciens quelques lignes du Code de la santé publique qui les enjoignent à «contribuer à la lutte contre le charlatanisme, notamment en s'abstenant de fabriquer, distribuer ou vendre tous objets ou produits ayant ce caractère». Enfin, en 2017, une enquête menée par la DGCCRF (Direction générale de la concurrence, de la consommation et de la répression des fraudes) sur ces bracelets et colliers destinés aux jeunes enfants a démontré que 87,5 % des produits étudiés devaient être considérés comme dangereux en raison de risques de strangulation ou de suffocation. Il est temps d'en finir avec ces croyances ancestrales aux conséquences dramatiques.

Si je porte une ceinture lombaire, je vais perdre mes muscles

FAUX

La ceinture lombaire, ou ceinture de soutien, apporte un grand soulagement aux personnes souffrant de lombalgies. Relativement large, elle se porte, comme son nom l'indique, au niveau des lombaires : sur ces vertèbres repose, en temps normal, une grande partie de la charge du haut du corps, alors en cas de lombalgie, mieux vaut leur alléger la tâche, et c'est tout l'intérêt de cette ceinture. Mais faut-il craindre de voir fondre ses muscles lombaires et, du coup, hésiter à la porter ?

Pas de panique ! Portez votre ceinture le temps nécessaire. On considère en effet que cette ceinture de soutien peut être portée sans conséquences négatives pendant une quinzaine de jours, le temps, pour le patient, de se remettre sur pied. En assistant la région lombaire, elle permet de mettre au repos cette partie du corps, en souffrance, un peu comme on porterait une genouillère en cas de douleur ligamentaire ou articulaire au genou.

Inutile, en revanche, de la porter pendant la nuit : le repos allongé suffit. Et puisque la ceinture lombaire soulage la douleur et aide à porter la partie supérieure du corps, on en profite pour marcher et ne pas rester sur le canapé. À croire que l'on vient d'expliquer le sens de l'expression « se remettre sur pied » !

Il ne faut pas prendre d'aspirine pendant les règles

Pour faire passer un accès de fièvre ou un mal de tête, il a longtemps été naturel de prendre un cachet d'aspirine. Il s'agit là de symptômes courants chez les femmes, au moment des règles. Mais l'aspirine leur est-elle vraiment recommandée ?

L'aspirine est surtout connue pour ses effets anti-inflammatoire, antipyrétique (dans le traitement de la fièvre) et antalgique (pour réduire la douleur). Mais l'aspirine possède encore une autre faculté : c'est un antiagrégant plaquettaire. Elle a donc la propriété de ralentir la coagulation en limitant le phénomène d'agglutinement des plaquettes. C'est une indication très intéressante pour prévenir la thrombose, par exemple, mais, à l'inverse, l'aspirine est déconseillée en cas de maladie hémorragique ou s'il y a un risque de saignement.

Les règles ne sont pas considérées comme un « risque de saignement », c'est un processus naturel. Pourtant, on peut lire sur la notice de certaines boîtes d'aspirine qu'il est déconseillé d'en prendre en cas de règles abondantes. Sans qu'il y ait véritablement danger, la précaution est sensée : en limitant l'agglutinement des plaquettes, l'aspirine augmente le temps de saignement et donc la quantité de sang écoulé. Finalement, en dehors de cette indication très précise d'antiagrégant plaquettaire, l'aspirine peut être abandonnée au profit du paracétamol, qui remplit parfaitement les missions anti-inflammatoire, antipyrétique et antalgique sans présenter de risques particuliers. Seul conseil : être très attentif à ne pas dépasser la dose autorisée.

FAIRE PASSER LE HOQUET

Sans qu'on sache vraiment pourquoi, le hoquet survient et ne nous lâche pas pendant de longues minutes. Il s'agit d'un réflexe respiratoire : « La contraction spasmodique involontaire du diaphragme, qui déclenche un mouvement thoracique interrompu par la contraction de la glotte avec vibration des cordes vocales, qui détermine un bruit caractéristique au hoquet. » D'ailleurs, c'est ce bruit qui a donné le nom anglais du hoquet : *hiccough* ou *hiccup*. Ajoutons à cette définition de l'Académie de médecine le nom savant du hoquet : la myoclonie phrénoglottique. Et presque tout ce qui est scientifiquement avéré sur le sujet a été dit. Car le hoquet, aussi banal que mystérieux, offre un fantastique terrain de jeu aux idées reçues.

D'OÙ VIENT LE HOQUET ?
Hic... hic... hic...

Revenons quelques minutes en arrière, avant le premier « hic ». A-t-il été précédé d'une bataille de chatouilles ? D'un plat avalé trop vite ? Ou, plus largement, d'un repas très copieux ? D'un fou rire ou, au contraire, d'un coup de stress ? Ce qui est sûr, c'est que le hoquet nous atteint avant même notre naissance, puisque le fœtus peut en faire l'expérience *in utero*. Sa mère ressent alors les soubresauts du bébé hoquetant dans son ventre. Le hoquet n'est pas proprement humain : les animaux aussi le connaissent.

À QUOI SERT-IL ?
Le hoquet intergénérationnel...

C'est l'un des mystères du hoquet. Des chercheurs ont émis l'hypothèse qu'il s'agirait d'un réflexe ancestral de notre évolution visant, selon les uns, à défendre l'œsophage ou l'estomac contre les attaques acides, selon les autres, à permettre aux amphibiens de fermer le point d'entrée vers les poumons au moment d'aller à l'eau.

DES ASTUCES POUR S'EN DÉFAIRE ?
Quelle imagination débordante !

Pour faire passer le hoquet, différentes techniques se transmettent de génération en génération : boire un verre d'eau la tête en bas, bloquer sa respiration, manger une cuillerée de sucre en poudre, imbiber de vinaigre une cuillerée de sel ou de sucre et l'avaler, décentrer son attention, être surpris et/ou apeuré, procéder à un massage rectal. Plusieurs de ces astuces ont fait l'objet d'études scientifiques. Ces travaux ont d'ailleurs peut-être participé à la transmission d'astuces telles que le massage rectal ou la cuillère de sucre en poudre. Mais des travaux plus récents n'ont pas permis de démontrer une quelconque efficacité de ces traitements, qui ressemblent davantage à des remèdes de grand-mère. Cela dit, la science ne peut pas tout, et certaines expériences menées à la maison se révèlent efficaces... À chacun de trouver la sienne !

PEUT-ON PRÉVENIR LA SURVENUE DU HOQUET ?
Ce serait trop simple !

Pour prévenir le hoquet, il suffit de reprendre toutes les situations dans lesquelles il apparaît et de faire en sorte de ne pas s'y confronter. Ainsi, en mangeant léger au calme, en évitant les boissons gazeuses et les plats épicés, on limite les risques. Mais la vie serait trop triste sans batailles de chatouilles et autres fous rires !

ET SI LE HOQUET DURE ?

Habituellement, le hoquet passe au bout de quelques minutes, voire quelques heures. Généralement, il ne s'éternise pas au-delà, mais si c'est le cas, que fait-on ?

- Quand la crise dure plus de 48 heures, on parle de hoquet aigu, et de hoquet chronique quand il se répète.
- Il peut alors avoir des répercussions sur le sommeil et l'alimentation, mais surtout, le hoquet peut être le symptôme d'une pathologie plus grave qui doit être connue et traitée. C'est la raison pour laquelle il est important de consulter.
- Le médecin tentera peut-être une manœuvre de Salem pour bloquer le hoquet. La procédure consiste à toucher la paroi postérieure du pharynx grâce à une longue sonde en plastique introduite par le nez du patient. Une fois la sonde installée, elle stimule le pharynx et stoppe le hoquet.

La vitamine C
prévient les infections

FAUX

L'hiver pointe le bout de son nez et la lumière estivale commence à manquer. Les virus traînent, et avec notre petite forme, on craint de tous les attraper. Seule solution : une cure de vitamine C ! C'est bien connu, elle redonne de l'énergie et booste les défenses immunitaires.

Il faut dire que l'information provient d'un homme exceptionnel : le scientifique américain Linus Pauling, dont le nom figure sur la très courte liste des lauréats de deux prix Nobel dans deux catégories distinctes : la chimie, en 1954, et la paix, en 1962. On pourrait croire que c'est à la vitamine C que le scientifique dut sa prestigieuse récompense en chimie. En réalité, il jouissait déjà d'une grande renommée quand il se lança dans une étude sur l'intérêt de la vitamine C dans la prévention du rhume banal. Et ce fut peut-être cette forte notoriété qui donna un tel retentissement à ses conclusions, dans le courant des années 1970 : selon lui, la prise quotidienne d'une dose importante de vitamine C permettait de stimuler le système immunitaire et donc de lutter contre les infections.

Pourtant, à l'examen de la totalité des recherches effectuées depuis sur le sujet, il ressort que la prise régulière de vitamine C n'a aucun effet sur la prévention du rhume, quelle qu'en soit la dose. Si des essais sont encore à mener sur l'aspect curatif, on peut d'ores et déjà vous conseiller de ne plus dépenser votre argent dans des cures de vitamine C : dormez bien et mangez équilibré, cela vous coûtera moins cher et produira probablement plus d'effets !

La vaccination,
c'est pour les enfants

D'un côté, les préoccupations spécifiques aux enfants : les goûters d'anniversaire, les devoirs, les dents qui poussent, le spectacle de danse... De l'autre, celles qui sont l'apanage des adultes : le droit de vote, les films interdits aux moins de 18 ans, le paiement des impôts... Ces deux listes ne sont pas exhaustives, bien sûr, et il faut reconnaître qu'il existe une catégorie intermédiaire.

À regarder de près le calendrier des vaccinations, on constate rapidement que les injections reviennent plus souvent dans la vie des jeunes que dans celle des personnes plus âgées : pour la seule vaccination obligatoire, contre la diphtérie, le tétanos et la poliomyélite, un bébé reçoit trois injections au cours de sa première année de vie, la suivante à 6 ans, une autre vers 12 ans, et encore une à 25 ans. On passe ensuite à un rappel tous les 20 ans jusqu'à 65 ans, puis à une injection tous les 10 ans.

Si les rendez-vous sont plus espacés, ils n'en deviennent pas moins importants. En effet, l'immunité conférée par la vaccination n'est pas définitive : elle doit être entretenue. Pour en savoir plus, vous pouvez en parler à votre médecin ou consulter le site www.vaccination-info-service.fr.

La vaccination
présente des risques

Le constat fait par l'Académie des sciences est inquiétant : « La France est aujourd'hui le pays du monde ayant le taux le plus élevé de refus de la vaccination. » En cause, une idée reçue selon laquelle se faire vacciner impliquerait une certaine prise de risques.

LA DÉFIANCE VIS-À-VIS DES VACCINS

Pourtant, la vaccination est l'une des plus grandes avancées que l'histoire ait connues en matière de santé : d'après l'Organisation mondiale de la santé, 2 à 3 millions de décès sont évités chaque année grâce aux vaccins capables de combattre des maladies infectieuses aux conséquences dramatiques. Cela concerne notamment des maladies qui font, en France, l'objet d'une vaccination obligatoire, comme la diphtérie, la poliomyélite ou le tétanos, et qui ont, de ce fait, presque disparu. Mais si la couverture vaccinale française reste très élevée, on note tout de même un léger recul, que l'on analyse comme un signe très clair de la défiance vis-à-vis des vaccins. Entre les premiers semestres 2014 et 2015, les autorités de santé ont ainsi observé une baisse de la vaccination des nourrissons de l'ordre de 5 %.

Plus préoccupant encore, cette défiance se porte sur d'autres vaccins aujourd'hui sans caractère obligatoire : l'hépatite B, la rougeole, la grippe, les infections à méningocoque C, le papillomavirus. D'ailleurs, la défiance vis-à-vis des vaccins remonte à différents épisodes concernant davantage ces maladies-là que celles précédemment citées. On évoque ici un lien entre vaccination et autisme ; là, on associe le vaccin contre l'hépatite B et la sclérose en plaques. Mais si les idées circulent, leur vérité est loin d'être attestée. En effet, sur cette dernière association, les études se sont succédé sans que rien, pourtant, n'ait été démontré. Mieux : la justice a tranché par un non-lieu général, ce qui signifie qu'aucun lien n'est avéré entre le vaccin et la maladie.

Fin de l'histoire ? Dans bien des esprits, le doute persiste malgré tout, et l'on hésite à se faire vacciner ou à y soumettre ses enfants.

DES COMPLICATIONS BIEN RÉELLES ?

Il faut avouer qu'il existe des complications à la vaccination. Rares, certes, mais bien réelles. Parmi celles-ci, le très angoissant syndrome de Guillain-Barré, qui se manifeste par une paralysie progressive. Cela s'explique par la sollicitation qui est faite du système immunitaire. La complication n'est donc pas propre à la vaccination : toute maladie infectieuse peut engendrer un tel syndrome. En France, on compte 1 à 2 cas sur 10 000 personnes, dont environ deux tiers ont souffert d'une infection virale ou bactérienne avant l'apparition des symptômes. Les cas de complications liées à la vaccination sont très rares et, pour simplifier, on peut dire que l'apparition du syndrome de Guillain-Barré est plus fréquente après un épisode de grippe qu'après une vaccination contre la grippe.

SAUVER DES VIES

Et si l'on s'inquiète des adjuvants ou de l'aluminium que l'on trouve dans les vaccins, donnons ici quelques chiffres bien concrets : en 2013, près de 150 000 personnes sont mortes de la rougeole à travers le monde alors que l'on sait prévenir la maladie et que l'on pourrait même l'éradiquer. La vaccination, loin de tuer, sauve de nombreuses vies, et pas seulement celles des personnes vaccinées : outre une protection individuelle, la vaccination relève d'un engagement collectif. En effet, la personne vaccinée ne pouvant contracter la maladie, elle ne la transmettra pas à son tour. Mais si le nombre d'individus vaccinés diminue, le virus circule davantage et l'immunité du groupe diminue aussi. Or cette immunité collective participe à la protection des personnes fragiles, immunodéprimées ou soumises à une chimiothérapie, par exemple, pour lesquelles certains vaccins sont contre-indiqués, à juste titre.

~~~~~~

On peut devenir accro à la morphine

VRAI mais...

La morphine appartient à une famille de substances qui entretiennent bien des fantasmes... Classée dans la catégorie des opiacés, elle y côtoie l'héroïne, la codéine et la méthadone, entre autres : autant de produits connus pour leur capacité à induire une forte dépendance physique et psychique. La morphine peut-elle, elle aussi, être à l'origine d'une dépendance ?

En médecine, on utilise la morphine pour faire face à une douleur majeure. Chaque personne réagit différemment à la douleur, mais quelques outils permettent au médecin d'évaluer celle ressentie par le patient. Pour simplifier, on a établi trois paliers de douleur : le niveau 1 peut être pris en charge avec du paracétamol, le niveau intermédiaire avec de la codéine, et pour une douleur majeure, on aura recours à un opiacé de type morphine.

Imaginons le cas d'une personne victime d'une fracture ouverte. La douleur est intense, et pour la calmer, on lui prescrit de la morphine. La dose prescrite étant adaptée au niveau de douleur, si le malade peut s'habituer à quelque chose, c'est bien au soulagement de ne plus ressentir cette douleur.

Toutefois, s'il y a bien un risque d'addiction à la morphine dans l'absolu, il faut distinguer la consommation de cette substance comme d'une drogue et l'usage thérapeutique qui en est fait pour soulager une douleur. Dans le cas d'un traitement, la morphine va se fixer sur des récepteurs dédiés aux endorphines, neurotransmetteurs agissant sur la transmission des messages de la douleur. Dans le cadre d'une addiction, la substance va déborder de ces récepteurs pour en accaparer d'autres. Si un traitement morphinique doit être adapté à la douleur prise en charge, c'est plutôt pour éviter l'accoutumance, qui rendrait le traitement moins efficace sur la durée.

Si l'on donne de la morphine à une personne, c'est parce qu'elle arrive à la fin de sa vie

FAUX

Drug : ce nom commun anglais est parfaitement adapté à la morphine dans ses deux acceptions. En effet, il peut désigner un médicament ou une drogue. Dans bien des esprits français, les deux usages se confondent quand il s'agit de morphine (voir page ci-contre). C'est peut-être la raison pour laquelle on imagine que ce traitement est réservé à la fin de la vie et que seule la mort mettra fin, de fait, à l'addiction.

La prise en charge de la douleur est déterminée en fonction de paliers. Pour une douleur légère (palier 1), on recommande du paracétamol ou des anti-inflammatoires non stéroïdiens. Pour une douleur modérée (palier 2), on utilise des opioïdes faibles comme la codéine ou le Tramadol® – ils font partie de la même famille que celle à laquelle appartient la morphine, mais leur action est plus faible. Pour des douleurs fortes (palier 3), on passe aux opioïdes forts comme la morphine, dont la dose peut être augmentée en fonction de la douleur, à la différence des traitements évoqués plus haut.

La décision d'administrer de la morphine ne dépend donc pas de l'âge du malade mais de la douleur ressentie. Même si cette douleur peut varier d'un individu à l'autre, on imagine aisément qu'une personne victime de coliques néphrétiques ou d'une blessure par balle souffre terriblement. Quel que soit son âge, une prise en charge de palier 3 sera probablement indiquée. Si l'on associe parfois la morphine aux personnes âgées, c'est probablement parce que certaines fins de vie coïncident avec un cancer très avancé, et donc très douloureux.

LES ANTIBIOTIQUES

Vous sortez d'une consultation, une ordonnance à la main : il ne s'agit pas d'un virus ; vous allez donc devoir prendre des antibiotiques, prescrits spécifiquement dans les cas d'infection bactérienne.

LES ANTIBIOTIQUES DÉCUPLENT LES EFFETS DE L'ALCOOL
Un mélange qui produit bien d'autres maux !

C'est bien connu, alcool et antibiotiques ne font pas bon ménage. En effet, la plupart des antibiotiques ont un effet Antabuse : ils bloquent la métabolisation normale de l'alcool par l'organisme, processus physiologique qui permet habituellement de l'éliminer sans produire d'effets délétères. L'alcool n'est transformé qu'en une substance toxique, à l'origine de symptômes très désagréables, tels que des nausées, des vomissements ou de violents maux de tête.

L'ALCOOL DÉCUPLE-T-IL LES EFFETS DES ANTIBIOTIQUES ?
Ce serait l'effet boomerang !

Certains antibiotiques sont largement métabolisés par le foie, mais c'est à ce même organe que revient la métabolisation de l'alcool. Le foie peut-il tout faire à la fois ? Et le faire correctement ?
Si rien n'est très clair en la matière, on suppose qu'alcool et antiobiotiques peuvent interagir. Et si le foie est trop sollicité, deux cas de figure sont envisageables : soit la métabolisation de l'antibiotique est bloquée ; soit, à l'inverse, elle se produit normalement, voire en amont de celle de l'alcool, mais c'est alors cette dernière qui est entravée. Rien n'est précisément connu sur le sujet, alors dans le doute, mieux vaut s'abstenir.

LES EFFETS SUR LE SYSTÈME DIGESTIF
Ouille, ouille, ouille, ça gargouille !

Même si le traitement antibiotique est préconisé pour soigner une infection, il prend parfois des allures de double peine : d'abord, les symptômes déclenchés par l'infection à traiter ne disparaissent pas du jour au lendemain ; ensuite, on se sent barbouillé.

C'est notamment le cas avec ce que l'on appelle les antibiotiques à spectre large, pris par voie orale. Ce sont des traitements capables de lutter contre un grand nombre de bactéries, utilisés si le germe responsable de l'infection n'est pas clairement identifié. Ils luttent donc aussi contre des bactéries « amies » et utiles au bon fonctionnement de notre organisme, et pas seulement de la digestion. Résultat : si ces antibiotiques auront raison de l'infection, ils vont aussi perturber le microbiote intestinal. Pour limiter ce type de désagréments, on peut prendre des probiotiques visant à protéger la flore intestinale.

ANTIBIOTIQUES ET FATIGUE
Un médicament et au lit !

Une personne sous antibiotiques a besoin de repos. S'il s'agit d'un enfant, il ne va généralement pas à l'école ; l'adulte, lui, aura probablement été mis en arrêt maladie pour quelques jours par son médecin.

L'infection bactérienne dont souffre le patient s'accompagne de symptômes qui font dépenser de l'énergie à l'organisme : fièvre, toux, maux de tête, frissons, déshydratation... Ajoutez à cela le fait que l'on a moins d'appétit quand on est malade. Mais les antibiotiques n'ont rien à voir là-dedans ! Ce qui fatigue l'organisme, c'est l'infection qui justifie la prise d'antibiotiques, et pas le traitement en lui-même !

Les symptômes de la maladie disparaissent généralement avant la fin du traitement, sous 3 à 4 jours. Pour autant, et même si vous vous sentez mieux, il est essentiel de prendre le traitement antibiotique pendant toute la durée indiquée par le médecin. Dans le cas inverse, on participe au développement de la résistance bactérienne et, ainsi, à la baisse d'efficacité des antibiotiques.

DES PIEDS ET DES MAINS

–

Morphologie et physiologie

Le cœur
est situé à gauche

Il bat vite quand on a peur ou quand on est amoureux, et on le considère souvent comme l'organe phare du corps humain : le cœur, signe de vie, celui auquel on prête toute notre attention quand on dispense les premiers secours. Mais où bat-il vraiment ?

Le cœur est situé dans le thorax, bien protégé par la cage thoracique. Il est installé au-dessus du diaphragme, entre les deux poumons. Mais quand on pose la main sur le cœur, c'est sur le sein gauche qu'on la place. Certains localisent ainsi l'organe lové sous le poumon gauche, tandis que le foie prendrait davantage de place sur le côté droit.

Il faut dire que, globalement, nos organes fonctionnent par paires : les poumons, les hémisphères du cerveau, les reins, les bras, les yeux... Puisque l'équilibre est essentiel, un phénomène de latéralisation s'opère, permettant à chaque organe de trouver la place optimale.

Mais, le cardiologue l'affirme, le cœur est bien centré. Seul l'apex, l'extrémité pointue de l'organe, est orienté vers la gauche, d'où, peut-être, cette idée reçue. L'organe étant bien centré dans la cage thoracique, le malaise cardiaque ne se manifeste pas par une douleur dans la poitrine gauche, mais par une sensation d'étau plus globale dans la région de la poitrine... entre autres symptômes (voir page 106).

L'être humain
est doté de 5 sens

Pour le commun des mortels, les 5 sens sont clairement définis : la vue, l'ouïe, l'odorat, le toucher et le goût. Pourtant, on parle souvent d'un sixième sens, faisant référence à l'intuition. Alors, finalement, de combien de sens l'être humain est-il réellement doté ?

Mais, au fait, qu'est-ce qu'un sens ? Il s'agit d'une fonction psychophysiologique par laquelle l'organisme reçoit des informations sur certains éléments du milieu extérieur. Surprise : outre les 5 sens que l'on connaît tous clairement, la définition du Larousse mentionne un autre sens... la sensibilité à la pesanteur. Serions-nous dotés de plus de sens que nous ne le pensons ? Probablement, mais l'intuition, en revanche, n'en fait pas partie.

Si nos sens sont des modes de perception qui permettent d'appréhender un milieu extérieur, la thermoception en est un aussi. C'est l'aptitude de l'organisme à percevoir la température. Essentielle pour ressentir le chaud et le froid, et éviter de se brûler : si l'on touche une casserole bouillante, on a alors le réflexe de retirer sa main et pas d'en empoigner le manche.

La nociception, ou perception de la douleur, est l'un de nos autres sens. On pourrait croire qu'une vie sans cette perception serait plus douce. Malheureusement, l'incapacité à ressentir une douleur pourrait favoriser le développement de graves maladies. Or, même des maux de tête ou une douleur dentaire sont des symptômes à prendre en compte.

Il y a aussi la proprioception, qui est notre capacité à ressentir et à localiser nos membres, sans avoir besoin de les voir. On peut encore ajouter la soif, la faim ou l'équilibre. Nous sommes décidément des êtres pleins de sens !

L'avant-bras a la même longueur que le pied

Les proportions du corps humain font l'objet de calculs depuis des siècles. Déjà, au Ve siècle avant notre ère, le sculpteur grec Polyclète se penche sur la question et consigne ses travaux dans un traité intitulé *Le Canon*. De là, sans doute, tenons-nous l'expression « canon de la beauté ». Le Larousse définit le canon comme un « modèle idéal auquel il faut se conformer », et aussi comme un « type idéal de proportions choisi par un artiste pour représenter l'être humain ».

EN QUÊTE D'UN IDÉAL

Polyclète n'est pas le seul à avoir tenté d'établir les proportions du corps humain ; en la matière, les exemples abondent. Près d'un millénaire plus tard, Léonard de Vinci dessine l'*Homme de Vitruve*, cette représentation du corps masculin doté de deux paires de chaque membre s'inscrivant parfaitement dans un cercle qui a pour centre le nombril du modèle. Là encore, les recherches visent à déterminer les proportions parfaites du corps humain à travers des rapports de mesure des différentes parties de ce corps. Ainsi, le dessin s'assortit d'une description indiquant les mesures que la nature confère à l'homme : « Quatre doigts font une paume et quatre paumes un pied... » Le scientifique décline ainsi diverses correspondances entre la largeur des épaules, la main, la chevelure, l'oreille... Tout le corps y passe ! Et ces proportions sont censées se retrouver sur tout homme.

Plus proche de nous, au XIXe siècle, l'anatomiste et neurologue Paul Richer propose à son tour un canon supposé établir les proportions parfaites. Il rédige un ouvrage d'anatomie artistique dans lequel il décrit les formes extérieures du corps humain au repos et dans les principaux mouvements. Il prend également soin d'indiquer les proportions adoptées sur chacune de ses planches.

LES MESURES STANDARDS DE L'HOMME

Les siècles passent, et l'homme recherche toujours plus de précision, comme s'il s'agissait de mesurer l'idéal au plus près. Mais cette perfection existe-t-elle vraiment ? Les standards tirés de ces différents travaux valent-ils pour tous les hommes (et les femmes) ? Évidemment, non ! Il ne s'agit même pas de moyennes statistiques mais du regard posé par un architecte, un médecin ou un artiste. Aujourd'hui, on cherche toujours à connaître les mesures standards de l'homme. Pas tant dans la quête d'un idéal, mais avec pour objectif de concevoir des produits adaptés au plus grand nombre. Par exemple, on utilise les normes anthropométriques pour mettre au point des sièges de voiture adaptés à la grande majorité des futurs acheteurs. La norme NF EN ISO 7250 définit des mesures de base du corps humain pour la conception technologique. Mais, à la différence de ce que suggéraient Vinci ou Polyclète dans leurs travaux, les normes actuelles ne définissent pas un corps idéal, il ne s'agit pas d'une série de proportions déclinées en cascade et censées correspondre à tous. Au contraire, il existe plusieurs bases de données, auxquelles les professionnels peuvent se référer pour effectuer leurs calculs et, finalement, concevoir des produits qui conviendront au plus grand nombre.

ET NOTRE IDÉE REÇUE ?

Reste à savoir si la taille de l'avant-bras correspond à celle du pied. En en faisant l'expérience, vous constaterez sans doute que la mesure correspond bien, à peu de chose près. Mais si l'on cherche la précision, les mesures standards montrent que le pied est généralement un peu plus long que l'avant-bras.

Éjaculation masculine = orgasme

La définition que le Larousse donne de l'orgasme sème le trouble : il s'agirait du « point culminant et terme de l'excitation sexuelle, caractérisé par des sensations physiques intenses ». Alors l'idée reçue a vite fait de se propager : l'éjaculation serait synonyme d'orgasme !

Pourtant, mieux vaut s'en tenir à l'idée de paroxysme du plaisir sexuel, ou à l'« état de tension, d'excitation, de turgescence d'un tissu ou d'un organe », défini par le Centre national de ressources textuelles et lexicales.

Car, malgré ce qu'en pensent les femmes, la sexualité masculine n'est pas si simple et l'éjaculation n'est pas synonyme d'orgasme ! Les hommes ne ressentent pas un plaisir linéaire : à l'instar de ce qui se passe chez les femmes, l'intensité est variable selon les rapports, les préliminaires, l'état d'esprit du moment et bien d'autres facteurs encore.

Si l'éjaculation ne correspond pas à l'orgasme, parvenir à l'orgasme sans éjaculation nécessite un peu d'entraînement et une bonne dose de concentration. On parle souvent d'orgasme tantrique, en référence à une pratique sexuelle (généralement associée à un courant spirituel) tendant à mettre les deux membres du couple en osmose. Dans le tantrisme, ce n'est pas tant l'orgasme qui compte que le chemin pour y parvenir. Ainsi, l'homme peut s'entraîner à connaître l'orgasme sans éjaculer.

À l'inverse, on pourrait aussi envisager une éjaculation sans orgasme, même si l'éjaculation est, en soi, physiquement, une libération des tensions. Elle est donc, de fait, associée à la détente... Mais détente et orgasme ne sont pas synonymes.

Ménopause = chute de la libido

La presse féminine associe souvent, dans ses titres, la cinquantaine à un âge idéal, et même parfois au plus bel âge : celui de la liberté, de l'accomplissement, de la sérénité. Pourtant, 50 ans, c'est aussi l'âge moyen auquel survient la ménopause, cette période marquée par l'arrêt de l'ovulation et la disparition des règles.

Sur le papier, c'est très simple. Mais la ménopause est caractérisée par l'arrêt de la production d'hormones ovariennes (œstrogène et progestérone), et cela ne se produit pas en un instant ni sans conséquences. Le processus naturel s'étale sur plusieurs années et s'assortit de symptômes qui peuvent s'avérer très pénibles à vivre : bouffées de chaleur, fatigue, troubles du sommeil, maux de tête... Une sécheresse vaginale s'installe également et peut rendre les rapports douloureux.

On comprend aisément que ces troubles puissent avoir une forte incidence sur le désir et la vie sexuelle. Mais il convient aussi de rassurer les femmes en les informant qu'une prise en charge existe et qu'elle est efficace ! Le médecin peut ainsi prescrire des pommades ou suggérer l'utilisation de lubrifiants pour atténuer les effets de la sécheresse vaginale. Mesdames, n'hésitez pas à aborder la question en consultation : il en va de votre bien-être et de votre épanouissement !

Chez l'homme, l'éjaculation réduit les risques de cancer de la prostate

FAUX mais...

C'est le principe du syllogisme, ce raisonnement déductif à partir de deux prémisses avérées. Exemple : tous les hommes sont mortels ; je suis un homme, donc je suis mortel. Si cette logique, élaborée par Aristote, aboutit souvent à des vérités, le syllogisme prend parfois des allures de sophisme, pour accoucher d'une conclusion absurde : tous les chats sont mortels ; je suis mortel, donc je suis un chat ! On est tombé dans l'absurde.

UNE AFFAIRE D'INFLAMMATION ?

Une étude américaine datant de décembre 2016 a largement été relayée à travers le monde ces derniers mois : selon ces travaux, une vingtaine d'éjaculations par mois permettraient de faire baisser le risque de cancer de la prostate de manière significative. Comment ? Les chercheurs ne le disent pas. Dans ce contexte, toutes les suppositions sont permises, d'où l'idée du syllogisme : l'éjaculation permet de réduire l'inflammation, or le cancer de la prostate relève de l'inflammation, donc l'éjaculation permet de réduire le cancer de la prostate. Quelle que soit la logique fantasmée, c'est ainsi que cette étude épidémiologique, basée sur des déclarations d'hommes, fait le buzz et suffit à laisser croire que l'éjaculation régulière serait une forme de prévention du cancer de la prostate.

DES FACTEURS MULTIPLES

Mais c'est oublier que l'âge et les antécédents familiaux constituent les principaux facteurs de risque connus de ce cancer. Parmi les autres facteurs possibles, on évoque une origine africaine ou antillaise, l'alimentation, l'obésité, l'exposition aux pesticides, la taille adulte... et l'inflammation. Dans cette étude américaine, les hommes qui témoignent d'éjaculations fréquentes et d'une moindre exposition au cancer étaient aussi plus calmes, plus heureux que les autres. Ce qui peut avoir un impact sur la libido, finalement. Et si, en plus d'être davantage épanouis, ces hommes étaient plus actifs ? Et si leur activité sexuelle ou physique avait un effet sur leur système immunitaire ? L'étude soulève beaucoup de questions mais n'apporte pas toutes les réponses attendues. Au bout du compte, comment être certain que c'est l'éjaculation même qui influe sur les risques de cancer ? Et par quels mécanismes ? Manifestement, d'autres recherches s'imposent, et dans cette idée reçue, on dirait bien que la supposition s'est substituée à la science.

Cerise sur le gâteau, certains articles de presse (ou de blog) mélangent tout. Ainsi peut-on lire que «l'orgasme réduit le risque de cancer de la prostate» – quand une idée reçue en chasse une autre... (Allez vite lire la page 136 de ce livre pour y voir clair sur l'orgasme masculin et l'éjaculation !)

~~~~~~~~~

COMMENT PRÉVENIR LE CANCER... PLUS SÉRIEUSEMENT ?

En la matière, on lit tout et n'importe quoi : poudre de perlimpinpin, jeûne, rapports sexuels... Il s'agit donc de faire le tri entre ce qui est avéré et ce qui ne l'est pas. Sur la question de l'éjaculation, d'autres études devront confirmer ou infirmer ce qui est évoqué plus haut. Quittons le cancer de la prostate pour parler des cancers, de manière générale. On estime que 40 % d'entre eux pourraient être évités en changeant quelques habitudes de vie : arrêter de fumer, réduire largement sa consommation d'alcool, manger équilibré et bouger. La pollution de l'air, les UV et l'exposition à certains produits (amiante, solvants...) augmentent également les risques. Enfin, il est essentiel de suivre les programmes de dépistage, car plus tôt le cancer est pris en charge, plus il y a de chances qu'il soit éradiqué.

LES DIFFÉRENCES PHYSIQUES ENTRE LES HOMMES ET LES FEMMES

À y regarder de près, rares sont les différences physiques entre l'homme et la femme : le sexe, la poitrine, la taille du bassin, la pilosité, et cette pomme d'Adam, située sur le cou. Pourtant, ces quelques différences alimentent régulièrement de multiples idées reçues ! Arrêtons-nous un instant sur certaines pour y voir plus clair.

LA MUSCULATURE
Des hommes plus forts ? Des femmes plus intelligentes !

Petits, déjà, les garçons bombent le torse et gonflent leurs biceps pour montrer combien ils sont musclés. Théorie du genre, il y a des préoccupations que l'on retrouve souvent dans l'esprit des garçons et moins chez les filles. Et *vice versa*. Chez les garçons, la musculature en fait partie. Et la physiologie leur donne raison. En effet, les hommes sont d'abord plus grands, et ont une masse musculaire et un volume osseux plus importants que les femmes.

À l'inverse, la femme dispose d'une masse graisseuse plus importante. Physiologiquement, cette masse musculaire plus importante chez l'homme que chez la femme s'explique notamment par l'intervention d'une hormone, la testostérone. Elle est naturellement produite par le corps humain, et on la considère souvent comme l'hormone de la virilité : l'organisme masculin en produit *via* les testicules et les glandes surrénales. La femme en produit aussi, au niveau des ovaires et des glandes surrénales, mais en moindre quantité.

Moins musclée, la femme est donc naturellement moins équipée pour produire une grande énergie. Pour autant, on estime que les meilleures performances des femmes correspondent à environ à 90 % des records remportés par des hommes. Alors évidemment, si une femme bien entraînée affronte un sportif du dimanche, cela rebat les cartes de cette idée reçue !

LES CARACTÈRES SEXUELS
Primaires et secondaires

Ils permettent d'identifier d'emblée le sexe d'une personne que l'on rencontre : un homme aura des poils de barbe et un corps massif, quand une femme présentera un visage moins anguleux et de la poitrine. Il s'agit là de caractères sexuels secondaires, les caractères sexuels primaires étant représentés par les organes sexuels.

Les caractères sexuels secondaires apparaissent à l'adolescence, largement influencés par les sécrétions hormonales : les poils de l'homme poussent sur son visage, son torse, ses aisselles et son pubis (entre autres), sa pomme d'Adam devient saillante, et sa voix plus grave. Chez la femme, une pilosité apparaît aussi au niveau des aisselles et du pubis, et ses seins se développent. La différence physique que l'on remarque entre l'homme et la femme se joue enfin sur la répartition de la graisse : chez la femme, elle se concentre sur les fesses, les hanches et les cuisses, alors que l'homme en a davantage sur le ventre.

Si, en revanche, on s'intéresse au seul squelette, sur une radio par exemple, les différences sont minimes : en comparant un homme et une femme de même taille, on constate que la seconde dispose d'un bassin plus large et le premier d'arcades sourcilières plus prononcées. Mais pas une côte de moins chez l'homme, contrairement à ce que le livre de la Genèse raconte !

LA POMME D'ADAM
Les femmes aussi en ont une !

Quand un homme parle ou déglutit, sa pomme d'Adam bouge. Chez la femme, on ne voit rien. Pourtant, chaque être humain, féminin ou masculin, possède bien une pomme d'Adam ! Il s'agit en réalité de la saillie formée par le cartilage thyroïde, utile pour protéger les cordes vocales et le larynx.

Si la pomme d'Adam est plus volumineuse chez les hommes, c'est le fait de la testostérone. Pendant la puberté, cette hormone particulièrement masculine envoie des messages de croissance à la pomme d'Adam, qui laisse davantage de place aux cordes vocales pour se développer. C'est aussi pour cette raison que les hommes ont une voix plus grave que celle des femmes.

En consommant des produits laitiers, on préserve ses os

Derrière cette idée reçue, il y a une substance bien connue : le calcium, dont les produits laitiers seraient particulièrement riches. En effet, les yaourts, le lait, le fromage blanc et le fromage constituent la principale source de calcium dans notre alimentation. Or ce sel minéral joue un rôle essentiel dans notre métabolisme osseux, dans la croissance et la densité des os, notamment. D'où l'importance d'en consommer suffisamment chaque jour, pour assurer un taux idéal au bon fonctionnement de l'organisme.

De manière générale, on estime que chaque personne devrait consommer, en moyenne, trois produits laitiers par jour. Cette quantité peut être légèrement revue à la hausse pour les enfants et adolescents en pleine croissance, tout comme pour les personnes de plus de 50 ans sujettes à l'ostéoporose. On suggère à ces populations de consommer 3 ou 4 portions quotidiennes, 1 portion équivalant à 1 verre de lait, 1 yaourt ou un cinquième de camembert.

Si les produits laitiers sont les plus grands pourvoyeurs de calcium, les grands champions sont les fromages à pâte dure, tout particulièrement la chair située juste sous la croûte ! On trouve aussi du calcium dans d'autres aliments : certaines eaux minérales ou l'eau du robinet, les fruits de mer, les algues, les noisettes ou les amandes, par exemple.

Sachez enfin que la vitamine D permet à notre organisme de fixer le calcium sur nos os. Cette vitamine, produite par la peau lors de l'exposition au soleil (avec modération !), est aussi disponible en pharmacie.

Le corps met 7 ans à assimiler un chewing-gum avalé

FAUX

Retour dans la cour d'école, à l'âge des premiers chewing-gums. On connaît déjà le plaisir d'un bonbon que l'on croque ou laisse fondre mais que l'on finit toujours par avaler. Avec le chewing-gum, les règles du jeu changent, et ça n'est pas forcément facile de les intégrer. Résultat : les premiers chewing-gums mâchés finissent souvent engloutis. Combien de temps notre organisme met-il à les assimiler ?

Quelle est l'origine des 7 années évoquées ici ? Pourquoi ce chiffre ? Sept ans de malheur : une façon de conjurer le sort, peut-être ? Plus sérieusement, la digestion est un processus bien connu. Dès qu'ils sont introduits dans la bouche, les aliments sont mastiqués, et déjà la salive libère des sucs digestifs qui participent à leur transformation. Ainsi, le sucre éventuellement contenu dans un chewing-gum sera fragmenté par des enzymes. Si le chewing-gum est avalé, il suit le chemin classique des aliments et traverse l'œsophage avant d'atterrir dans l'estomac, où les aliments poursuivent leur transformation jusqu'à devenir de la bouillie. Les nutriments utiles à l'organisme se forment dans l'intestin grêle, et les échanges sanguins se font ici, mais le chewing-gum n'est pas concerné : il passe donc dans le gros intestin avant de gagner l'anus et de finir aux toilettes !

Il peut prendre un peu plus de temps que les autres aliments à franchir toutes les étapes de la digestion, mais on peut être sûr que le chewing-gum sera poussé vers la sortie : c'est physiologique ! Notons quand même l'existence d'une étude traitant du chewing-gum et de la digestion. Elle décrit le cas de jeunes enfants sujets à la constipation et chez lesquels on a retrouvé une masse de chewing-gum empêchant l'évacuation naturelle des déjections au niveau du rectum.

La mort survient
quand le cœur cesse de battre

FAUX

La mort, c'est la fin de la vie. Mais à quel moment intervient-elle précisément ? On a tendance à penser que le cœur rythme la vie de ses battements. D'autant plus qu'il commande la circulation sanguine. La mort correspondrait donc à l'arrêt cardio-respiratoire. Qu'en est-il en réalité ?

Malgré cette affirmation, on constate que certaines personnes ayant fait un arrêt cardiaque sont toujours en vie. C'est d'ailleurs, entre autres choses, ce que l'on apprend dès l'initiation aux premiers secours : le massage cardiaque, visant à relancer l'activité du cœur. Et toutes les personnes qui en ont bénéficié ne sont pas mortes avant de ressusciter !

Plus la science avance, plus la définition se précise. Aujourd'hui, c'est la mort encéphalique qui désigne l'arrêt total et irréversible des fonctions cérébrales. La mort serait donc la mort cérébrale, l'arrêt du fonctionnement du cerveau. Car c'est lui qui régit les fonctions de la vie : la conscience, les réflexes, mais aussi la respiration, les battements du cœur... même si l'on sait maintenir ces fonctions artificiellement, dans les cas de dons d'organes, notamment.

La mort cérébrale se constate à partir de signes cliniques. Le médecin est également tenu de vérifier que le patient n'est ni en hypothermie ni victime d'une intoxication. La mort peut enfin être vérifiée par deux électroencéphalogrammes, pratiqués à plusieurs heures d'intervalle. La mort semble donc relever de ce processus : absence de battements cardiaques, coma, manque de réactions... Ce que l'on sait, c'est que la mort cérébrale est irréversible.

Les papilles
sont le siège du goût

Cela met l'eau à la bouche ! Que sont ces « papilles », ces petites saillies qui tapissent la langue ? Quel est leur rôle ? Est-ce vraiment grâce à elles que nous connaissons et distinguons les différents goûts des aliments ?

Eh oui ! Appelées plus précisément « papilles gustatives », elles sont plusieurs centaines à détecter les différentes saveurs des aliments que l'on introduit dans la bouche : le sucré, le salé, l'amer, l'acide et l'umami. Plus récemment répertorié dans la famille des saveurs, l'umami correspond au goût du glutamate, que l'on retrouve notamment dans la sauce soja.

Ces papilles, dont il existe plusieurs types dans une même bouche, sont équipées de ce que l'on appelle des « bourgeons du goût » à leur extrémité, tandis que leur base est reliée au système nerveux. En contact direct avec les aliments par leur bourgeon, les papilles détectent la saveur de l'aliment. Un processus chimique se produit et déclenche un phénomène de transmission de l'information jusqu'à notre cerveau. Outre le plaisir (ou le dégoût) que l'on en tire, la détection des saveurs peut s'avérer très utile. Ainsi, on n'aura pas envie de consommer un produit laitier devenu naturellement acide avec le temps : son acidité nous donne une information sur la péremption de ce produit.

Mais, plus largement, le goût que l'on a d'un aliment ne dépend pas de sa seule saveur. On est aussi attentif à sa texture, aux arômes qu'il dégage… Et cette perception relève davantage de l'odorat que du seul goût décrypté par les papilles. D'ailleurs, on en a tous fait l'expérience : enrhumé, on ne ressent presque pas le goût des aliments.

Le stress
peut causer l'hypertension

~~~~~~

FAUX

Avant de lire ces lignes, commencez par vous détendre ! L'hypertension est une maladie cardio-vasculaire très répandue : on estime qu'un adulte sur cinq est touché par l'hypertension artérielle, qui se caractérise par une trop forte pression artérielle (pression du sang dans les artères). On sait que cette dernière varie régulièrement, mais le stress peut-il être à l'origine de ces variations ?

Quand on se repose ou que l'on dort, la pression est basse, tandis qu'elle augmente quand on subit un choc émotionnel ou lorsqu'on s'active au sport, par exemple. Ainsi, le stress peut influer sur la pression très momentanément, mais il ne provoque pas, seul, la maladie. Soyez rassuré (et arrêtez de stresser !).

On ne sait pas vraiment pourquoi l'hypertension artérielle se produit, mais parmi les facteurs de risque, l'âge semble être le plus important, suivi par le surpoids et la sédentarité. L'alimentation peut aussi entrer en ligne de compte quand elle est trop chargée en sel ou que les apports en potassium ne sont pas suffisants. À son tour, l'hypertension artérielle est un facteur de risque cardio-vasculaire, et augmente le risque d'accident vasculaire cérébral, d'insuffisance rénale et d'infarctus du myocarde, notamment. Il est donc indispensable de se faire diagnostiquer pour être traité et décider de se mettre au sport !

Si le stress fait momentanément monter votre tension quand le médecin la prend (on parle alors de « l'effet blouse blanche »), il peut être nécessaire de la mesurer à nouveau ultérieurement pour s'assurer que son niveau n'est pas trop élevé.

Le point de côté est dû à une bulle d'air

FAUX

On court, tout se passe normalement même si la fatigue commence à se faire sentir, quand, tout à coup, une douleur surgit. Juste là, entre deux côtes. On essaie d'appuyer dessus, on se plie en deux, mais parfois elle est si intense que l'on n'arrive pas à continuer. Pourtant, il n'y a rien de grave : c'est seulement un point de côté. A-t-on mal respiré ? Une bulle d'air est-elle venue se loger entre les côtes ?

On dit qu'en appuyant dessus, on peut la faire partir… Si le point de côté a bien un rapport avec la respiration, il n'a en revanche rien à voir avec une supposée bulle d'air. Il s'agit d'une crampe, mais pas n'importe où : une contracture douloureuse du diaphragme, le muscle situé juste au-dessous de la cage thoracique, que l'on considère comme un muscle respiratoire. En effet, lorsqu'on le contracte, l'air entre dans les poumons, mais c'est surtout l'expiration qui compte : si l'on décontracte le diaphragme trop rapidement, une crampe peut survenir, et c'est le fameux point de côté.

Pour l'éviter, il est conseillé de respirer avec le ventre : on baisse le diaphragme le plus possible à l'inspiration, et pour expirer, on rentre le ventre. Testez et vous verrez : si vous avez un point de côté, arrêtez de courir et marchez en respirant de cette manière ; et si vous respirez ainsi pendant toute la course, vous n'aurez plus à subir de points de côté !

Le sport transforme la graisse en muscle

Abracadabra ! Bienvenue dans le monde merveilleux des idées reçues ! Au même titre que le père Noël vous apporte chaque 25 décembre, en main propre, le cadeau dont vous rêviez secrètement, l'activité physique transforme votre graisse en muscle… Y croyez-vous vraiment ?

DEUX TISSUS DIFFÉRENTS

Vous pouvez maintenant rouvrir les yeux et revenir sur Terre ! Cela relève peut-être de la pensée magique, mais c'est impossible, pour la simple et bonne raison qu'il s'agit là de deux tissus radicalement différents.

D'un côté, il y a le tissu musculaire composé de fibres (ou cellules) musculaires, spécialisées dans la production d'un travail mécanique, en l'occurrence la contraction musculaire. De l'autre côté, il y a le tissu adipeux, composé d'adipocytes, les cellules de la graisse, qui peuvent servir de réserve énergétique ou de source de chaleur. Le muscle et la graisse n'ont donc absolument pas la même fonction. Leurs cellules sont très différentes, et ces tissus ne se logent pas aux mêmes endroits de l'organisme. En bref, il n'y a aucune correspondance entre les deux. L'activité physique n'ayant rien de magique, une cellule adipeuse ne peut donc pas se transformer en fibre musculaire.

LE LIEN ENTRE MUSCLE ET GRAISSE

En revanche, on peut établir un lien indirect entre les deux tissus. En pratiquant régulièrement une activité physique, on développe du muscle. Si l'on associe à cette pratique un régime adapté et pauvre en calories (voir page 184), on peut dans le même temps… prendre du poids ! Oui, vous avez bien lu « prendre du poids », il n'y a pas de fautes de frappe ! Le tissu musculaire commence à se développer avant que le stock de graisse ne soit sollicité. Par ailleurs, le tissu musculaire est plus lourd que la graisse. Résultat : en se mettant au sport, on commence par prendre du poids. La balance n'est donc pas immédiatement une alliée encourageante. Mieux vaut se fier à la sensation que l'on a dans un pantalon bien ajusté, car si le muscle est plus lourd, la graisse, située juste sous la peau, prend davantage de place. Cela remotive, n'est-ce pas ?

Les spécialistes estiment qu'une activité d'endurance pratiquée régulière-ment permet de mobiliser la graisse et donc, au final, de perdre du gras. À raison de 3 sessions d'1 heure par semaine de footing ou de natation, on commence à entrer dans ce processus.

PROGRESSIVITÉ ET RÉGULARITÉ

Mais en matière d'activité physique, il y a deux mots-clés à ne pas ou-blier : progressivité et régularité. Une semaine de sport ne suffira pas à faire fondre les cellules de graisse, il faut maintenir ce rythme sur la durée. Mieux vaut donc commencer par 10 ou 15 minutes, puis augmenter pro-gressivement la durée de l'activité physique. Ainsi, on évite de se découra-ger et de se blesser en imposant à un organisme non préparé une activité trop intense. Ensuite, il s'agit d'être régulier pour donner le temps à l'orga-nisme de se muscler et de se décharger des cellules adipeuses superflues. Évidemment, dans le même temps, on tire un trait sur les aliments trop caloriques : fini, les chips à l'apéritif ! Mais surtout, en mangeant et en bougeant, on se fait plaisir : c'est le meilleur moyen de se motiver pour garder la cadence ! Et c'est ainsi que les efforts finissent par payer.

DANS LA TÊTE OU DANS LES GÈNES

—

Cerveau, neurologie et génétique

L'homme n'utilise
que 10 % de son cerveau

FAUX

Cette idée reçue ne date pas d'hier, et son origine est souvent associée à Albert Einstein ou à William James, philosophe et psychologue américain réputé, à qui l'on attribue la phrase : « Nous n'utilisons qu'une petite partie de nos ressources mentales et physiques potentielles. » Cette « petite partie » équivaudrait à 10 % selon certains. L'affirmation se répand jusqu'à devenir une sorte de référence en matière de développement personnel : un phare, ou plutôt un cap, que l'on pourrait franchir à force de détermination. Alors qu'en est-il vraiment ? Suffirait-il d'entraîner son cerveau pour en utiliser pleinement les capacités ?

À ce jour, ce mythe des 10 % ne repose sur aucune connaissance tangible. D'ailleurs, pour espérer quantifier la part du cerveau que l'on utilise, il faudrait déjà savoir à quoi correspondent les 100 % : s'agit-il de surface ? de fonctions ? Dans tous les cas, le cerveau n'a pas encore livré tous ses mystères.

Mais considérons plutôt le verre des connaissances comme à moitié plein. On sait cartographier le cerveau, et ses différentes aires (vision, audition, motricité) sont désormais bien identifiées. L'IRM et l'électroencéphalogramme permettent d'observer son fonctionnement et même de préciser quelles régions s'activent. À l'inverse, lorsque le cerveau est touché (par une blessure ou un accident vasculaire cérébral, par exemple), certaines de ses fonctions peuvent être atteintes. Heureusement, le cerveau est doté d'une formidable plasticité : souple et malléable, il est capable de s'adapter et de créer de nouvelles connexions neuronales pour contourner l'obstacle. Ainsi, rien n'est figé, sans compter tout ce qu'il reste à découvrir !

Les neurones meurent quand on vieillit

FAUX

Comme les neurones sont précieux! Ces cellules nerveuses font circuler l'information dans l'organisme. Dans les cas de pathologies neurodégénératives, comme les maladies d'Alzheimer ou de Parkinson, les neurones se détériorent et finissent par mourir. Puisque ces maladies touchent surtout les personnes âgées, s'agit-il d'une fatalité?

Le patient atteint de la maladie de Parkinson est surtout affecté dans ses fonctions motrices : il peut être pris de tremblements au repos, avoir du mal à initier un mouvement ou encore se sentir ralenti dans ses gestes. Le malade atteint par la maladie d'Alzheimer, lui, est plus susceptible de perdre la mémoire et de subir des troubles du langage, même s'il peut lui aussi ressentir des difficultés à effectuer certains gestes.

Le bébé naissant avec 100 milliards de neurones et l'adulte disposant du même nombre, est-ce à dire que nous venons au monde avec un réservoir de neurones qui est voué à se vider quand vient le troisième âge?
En réalité, il naît des neurones tout au long de la vie. Pendant l'enfance, avec le développement des capacités d'apprentissage, mais également à l'âge adulte, pour créer de nouvelles connexions ou quand il s'agit de remplacer un neurone disparu.

Pour autant, le vieillissement de l'individu ne signifie pas que tous ses neurones meurent : la plupart restent en activité. Les maladies neurodégénératives ne sont d'ailleurs pas réservées aux personnes âgées. Et si l'on ne sait pas tout de ces pathologies et de leurs facteurs de risque, on observe que l'activité physique et cérébrale ainsi qu'un mode de vie sain aident à conserver un cerveau en bonne santé.

Le QI
mesure l'intelligence

VRAI mais...

QI pour « quotient intellectuel ». Cette notion indique le rapport entre l'âge mental et l'âge réel d'une personne, mesuré au moyen d'une série de tests logiques (à base de chiffres, de mots ou de dessins). À l'origine, on espérait ainsi différencier les enfants à la croissance intellectuelle normale et les autres. Mais le QI reflète-t-il vraiment l'intelligence, comme il est communément admis ?

Entre 85 et 110, on estime que le quotient intellectuel est normal. Mais si les tests donnent des résultats supérieurs, il s'agit certainement d'un enfant à haut potentiel intellectuel, que l'on appelle couramment un surdoué. Le terme est pourtant mal choisi car l'enfant en question n'est pas forcément plus intelligent qu'un autre ; disons qu'il dispose d'une autre façon de réfléchir.

Le quotient intellectuel ne peut à lui seul permettre d'évaluer l'intelligence d'une personne. Cette mesure donne des informations sur la capacité à intégrer la connaissance académique ou à faire preuve de logique, mais heureusement, l'être humain est plus pluriel que cela ! Il y a 35 ans, un professeur de psychologie américain affirmait déjà que 8 formes d'intelligence coexistent chez une seule et même personne. Si les catégories qu'il décrivait à l'époque font débat, on admet qu'il existe de multiples formes d'intelligence : émotionnelle, pratique, créative... Or ces formes-là, pourtant bien réelles, ne sont pas évaluées à travers les tests de QI. Le QI est donc un indicateur, parmi d'autres.

Le syndrome de Gilles de La Tourette se manifeste par la profération d'injures

« Ectoplasme ! Logarithme ! Mérinos mal peigné ! » La liste des insultes proférées par le capitaine Haddock au long des aventures de Tintin fait sourire. Bien plus que celles généralement attribuées aux personnes touchées par le syndrome de Gilles de La Tourette. Des gros mots, très vulgaires, répétés en boucle. Voilà l'idée que l'on se fait de ce syndrome. Il a l'air d'amuser ceux qui n'en souffrent pas, mais il n'a évidemment rien de drôle.

Le syndrome de Gilles de La Tourette est rangé dans la catégorie des maladies rares. Il touche 1 personne sur 2 000 (1 personne sur 200 si l'on compte les cas mineurs), mais, en réalité, l'utilisation involontaire d'un langage grossier ou obscène n'est pas le fait de tous les patients.

Selon la plateforme des maladies rares Orphanet, ce syndrome se définit comme « une maladie neurologique à composante génétique caractérisée par des tics involontaires, soudains, brefs et intermittents, se traduisant par des mouvements (tics moteurs) ou des vocalisations (tics sonores) ». Les tics moteurs peuvent se manifester par des clignements d'yeux, des secousses de la tête et des épaules par exemple, tandis que les tics sonores seront souvent des bruits de bouche et de nez – raclement de gorge, reniflement, claquement de la langue.

D'autres tics sonores, dits « complexes », ont un sens linguistique. C'est ici que l'on trouve la coprolalie, cette utilisation d'un vocabulaire grossier. Impressionnante, elle affecte moins de 1 personne atteinte sur 5.

Alzheimer est une maladie de personnes âgées

VRAI mais...

La mémoire qui flanche : voilà une faiblesse que l'on attribue volontiers aux personnes âgées. Quand les oublis se multiplient, on fait le lien avec la maladie d'Alzheimer. En effet, les neurones situés dans l'hippocampe, le siège de notre mémoire, sont les premiers atteints par la maladie. Elle se caractérise donc par ces troubles de la mémoire, puis, au fil du temps, le malade souffre de désorientation et finit par perdre ses capacités cognitives et devenir dépendant.

On reconnaît la maladie d'Alzheimer aux lésions très caractéristiques qui envahissent le cortex cérébral, mais on n'en comprend pas bien les causes. Pour autant, différents facteurs de risque ont été identifiés : par ordre d'importance, l'âge, la génétique et l'environnement. L'âge est en effet le principal facteur. Le risque augmente à partir de 65 ans, et au-delà de 80 ans, 15 % de la population est touchée.

La maladie d'Alzheimer est rare avant 65 ans, mais elle existe bel et bien : 30 000 malades ont ainsi moins de 60 ans. Il ne s'agit donc pas d'une conséquence naturelle de la vieillesse, mais bien d'une pathologie, qui peut se manifester plus tôt encore, dès 30 ou 40 ans. En revanche, ce n'est pas parce qu'un parent direct est atteint que l'on développera la maladie : les cas héréditaires ne représentent que 1 % des malades.

Les mots fléchés et les Sudoku permettent de prévenir la maladie d'Alzheimer

Comme s'il fallait toujours être efficace, on voit dans le jeu le moyen d'entraîner son cerveau. D'ailleurs, certains programmes de jeux se font appeler « entraînement cérébral » ! Peut-être cela permet-il aux joueurs d'avoir bonne conscience, mais qu'en est-il en réalité ?

Qu'il s'agisse de calcul mental, de jeux de Memory, de Sudoku, de mots fléchés, croisés ou mêlés, ne cherchez pas à prévenir la maladie d'Alzheimer (ou toute autre pathologie neurodégénérative) : il n'y a aucun rapport !

Ce que les études ont noté, c'est une baisse d'incidence de la maladie chez des personnes pratiquant une activité cognitive régulière et impliquant, le plus souvent, des relations sociales. Mais l'activité cognitive en question ne relève pas forcément de l'entraînement cérébral ; il peut s'agir de la lecture, du bridge, de la cuisine... N'importe quoi, tant que vous en retirez du plaisir et avez envie de vous y adonner régulièrement, car une pratique quotidienne pourrait réduire les risques. Parmi les conseils de prévention que l'on peut donner, il y a aussi l'importance d'une activité physique régulière et d'une bonne alimentation.

Pour autant, malheureusement, aucun conseil de prévention, même respecté à la lettre, ne peut seul prévenir la maladie.

L'utilisation du téléphone portable fait courir le risque d'un cancer du cerveau

De plus en plus rares sont les Français ne disposant pas d'un téléphone portable : en 2016, l'Autorité de régulation des communications électroniques et des postes évaluait à 93 % le taux d'équipement en téléphone mobile, passé devant le téléphone fixe. Si l'on se souvient qu'en 1998, seulement 11 % de la population était équipée, on prend d'abord un coup de vieux… avant de constater à quel point cet appareil s'est immiscé dans nos vies, devenant presque indispensable aujourd'hui.

LE TÉLÉPHONE PORTABLE : UN ACCESSOIRE TOXIQUE ?

Mais aussi vite que se diffuse son usage grandit la rumeur sur les risques auxquels on s'exposerait en utilisant un tel appareil, comme celui de développer un cancer du cerveau. Avez-vous vu ces vidéos de téléphones portables capables de faire sauter du pop-corn ? Qu'est-ce que cela doit donner sur notre si précieux cerveau ! Le téléphone relayant les ondes électromagnétiques, en le collant contre notre oreille, on mettrait à mal cet organe, tour de contrôle de l'organisme. En 2014, des chercheurs bordelais ont démontré le lien entre un usage répété du téléphone et la survenue de certaines tumeurs cérébrales. D'après eux, une utilisation massive du portable, de l'ordre de 900 heures de communication dans une vie ou au-delà de 15 heures par mois, peut être associée au développement de tumeurs cérébrales. Coup de massue : cet accessoire chéri par de nombreuses personnes serait donc toxique. Sur la base de cette rumeur, on suggérait déjà l'utilisation du kit mains libres, en vertu du principe de précaution ; rien n'était avéré, mais, dans le doute, on évitait de trop s'exposer.

DES ÉTUDES RASSURANTES

Le soulagement vient aujourd'hui de deux études concordantes. La première, réalisée par l'ANFR (l'Agence nationale des fréquences) et publiée en juin 2017, donne les résultats de mesures relevées sur 379 téléphones portables portant sur la partie d'énergie électromagnétique absorbée par le corps pendant l'utilisation : ces mesures sont toujours inférieures aux valeurs maximales tolérées par la réglementation, qu'il s'agisse de l'usage d'un téléphone portable contre l'oreille ou conservé près du tronc (dans une poche ou un sac, par exemple).

La deuxième étude, publiée dans *The International Journal of Cancer Epidemiology*, démontre que l'usage du téléphone portable n'augmente pas le risque de développer un cancer du cerveau. Les chercheurs se sont attelés à l'examen du registre national du cancer en Australie entre 1982 et 2012, sachant que 1982 est une date antérieure à l'essor de la téléphonie mobile, dont l'introduction remonte à 1987. L'étude consistait donc à voir si le taux de cancers du cerveau avait augmenté ou pas depuis que l'utilisation du téléphone portable s'était démocratisée. Il a été constaté que l'utilisation croissante du téléphone portable par la population australienne n'avait eu aucun impact sur le nombre de cancers du cerveau : en résumé, leur fréquence est restée stable durant les trente années de référence, alors que le taux d'équipement en téléphones portables a explosé ! L'étude note tout de même une augmentation des cas de cancer du cerveau chez les personnes de plus de 70 ans. Vu la classe d'âge considérée, les chercheurs émettent l'hypothèse que cette hausse soit davantage liée à un meilleur diagnostic qu'à l'utilisation – moins probable – de téléphones portables par ces seniors.

~~~~~~

L'homme
descend du singe

Pour preuve de cette théorie, l'image d'une évolution mettant en scène, de gauche à droite, un singe courbé et marchant à quatre pattes, puis un autre se redressant et finalement s'humanisant jusqu'à aboutir à la représentation de l'homme moderne, *Homo sapiens.* Cette image, largement répandue, suggère que notre humanité aurait été enfantée, au fil de millions d'années, par les singes, probablement les chimpanzés, qui nous ressemblent tant.

On attribue bien souvent cette phrase à Charles Darwin, célèbre naturaliste britannique du XIXᵉ siècle, à qui l'on doit la théorie de la sélection naturelle et de l'évolution. En réalité, il considère l'homme comme le descendant d'un « mammifère velu, pourvu d'une queue et d'oreilles pointues qui probablement vivait sur les arbres ». S'agit-il d'un singe ? Darwin ne l'a jamais dit, et c'est là un raccourci intellectuel. Aujourd'hui, nous cohabitons avec le chimpanzé représenté sur l'image ; il n'y aurait donc pas plus de raisons que nous en soyons le descendant que lui le nôtre ! La théorie de l'évolution envisage l'homme comme les autres espèces et pas comme le plus fort, celui qui arriverait à la fin d'un cycle parce qu'il aurait survécu à ses prédécesseurs.

Ce que l'on sait, c'est que l'homme appartient à la famille des mammifères et qu'il possède un ancêtre commun avec les grands singes. Cet ancêtre vivait probablement il y a quelque 13 millions d'années et aurait donné lieu à deux lignées : celle des singes, incarnée par les chimpanzés et gorilles, et celle des humains. Chacune aurait ensuite évolué, et pas seulement celle des hommes !

Savoir ou pas rouler sa langue en U relève de la génétique

Vous avez peut-être déjà participé à un concours improvisé, visant à voir qui était capable de rouler sa langue et qui n'y parvenait pas. Au bout du compte, on tranchait en affirmant qu'il s'agissait là d'une faculté génétique. Autrement dit, ça ne s'apprend pas : soit on est programmé pour savoir le faire, soit on en est incapable, et ce, pour toujours. Ne serait-ce qu'une idée reçue ?

En 1940, la science accrédite cette idée dans une étude expliquant qu'une paire de gènes – se transmettant donc héréditairement – est à l'origine de cette capacité ou incapacité à rouler la langue en forme de U.

Seulement depuis, d'autres études ont été menées sur la question. Et si la première s'intéressait à la transmission génétique entre parents et enfants, d'autres, plus tard, se sont penchées sur des cas de jumeaux. Ainsi, des travaux réalisés en 1952 ont démontré que sur 33 paires de jumeaux monozygotes – ceux que l'on appelle les « vrais jumeaux » et qui possèdent le même patrimoine génétique –, 7 ne partageaient pas la même capacité à rouler la langue : l'un des jumeaux pouvait le faire, l'autre non.

Dès lors, l'explication génétique seule ne tient plus, d'autant que ces travaux ont été reproduits plusieurs fois. Par ailleurs, des enfants ne sachant pas rouler leur langue dans un premier temps finissent par y parvenir. L'environnement et l'apprentissage sont certainement influents, même s'il est fort possible que la génétique ait sa petite part de mérite !

Les roux pourraient disparaître à cause du réchauffement climatique

FAUX

C'est l'histoire d'une affirmation émise une fois et relayée à l'envi. C'est souvent ainsi que les idées reçues traversent le temps. La légende selon laquelle les personnes rousses seraient vouées à disparaître l'illustre parfaitement.

Tout commence avec un article publié dans la presse britannique intitulé « Les roux sont menacés d'extinction à cause du changement climatique, selon des scientifiques ». L'article donne à lire un propos plus nuancé : le gène déterminant la couleur des cheveux révèle une forme d'adaptation au climat. En résumé, la peau pâle d'une personne rousse vivant dans des contrées nuageuses lui permettrait de synthétiser la vitamine D nécessaire à sa bonne santé. Entendu. En revanche, la logique déroulée ensuite ressemble plutôt à un sophisme : le climat subissant un certain réchauffement, le gène de la rousseur devrait ainsi disparaître. Or le sophisme relève de la langue française, pas de la science. Pourtant, la rumeur circule.

Quelques années plus tôt, déjà, une information similaire avait circulé dans la presse, indiquant – source de l'OMS à l'appui – que le gène de la blondeur aurait disparu en 2202. En réaction à la propagation de cette fausse information, l'Organisation mondiale de la santé avait dû démentir avoir jamais mené la moindre recherche sur le sujet. Car si l'évolution de l'homme est liée à son mode de vie, on peut difficilement présager de l'avenir. Le réchauffement climatique est-il synonyme d'un plus fort ensoleillement ? d'une raréfaction des nuages ? En tout état de cause, le génome humain évolue sur des milliers d'années, certainement pas sur quelque 200 ans !

Les naissances de jumeaux sautent une génération

Ils ont partagé 9 mois de vie intra-utérine et conservent souvent un lien très particulier au fil de la vie. Les jumeaux fascinent. On dit, par exemple, que dans une même famille, les naissances de jumeaux sautent une génération : si la grand-mère a donné naissance à des jumeaux, sa petite-fille est plus prédisposée que les autres futures mères à en avoir. Est-ce vrai ?

Il existe deux types de jumeaux : les monozygotes, dits « vrais jumeaux », et les dizygotes, dits « faux jumeaux ». À l'origine des monozygotes, un ovule et un spermatozoïde. À la fécondation, un œuf se forme et se divise en deux. Les vrais jumeaux partagent donc le même patrimoine génétique, sont forcément du même sexe et se ressemblent beaucoup. Dans le cas des dizygotes, tout part d'une double ovulation de la maman, et chacun des deux ovules est fécondé par un spermatozoïde différent. Ces jumeaux-là n'ont pas les mêmes gènes et peuvent être de sexe différent.

Et cette histoire de génération, est-ce vrai ? Pour le moment, la recherche n'a pas trouvé de caractère héréditaire aux naissances de jumeaux monozygotes. Cela ne veut pas dire qu'il n'existe pas d'explication génétique, mais jusqu'à maintenant, la raison du jumelage est globalement inconnue. En revanche, dans les cas de jumeaux dizygotes, on constate que les femmes, si elles ont une mère ou une sœur ayant eu des faux jumeaux, ont à leur tour deux fois plus de chances d'en avoir ! L'hyperovulation des femmes est donc en jeu et a probablement un caractère génétique. D'autres critères entrent également en ligne de compte pour avoir des jumeaux, comme l'âge de la mère ou son origine ethnique, par exemple. En revanche, l'idée que les cas de jumeaux sautent une génération est une pure fable : on oublie !

Les hommes et les femmes ne réfléchissent pas de la même façon

D'une pierre, deux coups : en abordant cette idée, on répond également à une autre croyance, selon laquelle la taille du cerveau serait liée à l'intelligence. Quand ils ont comparé les cerveaux masculin et féminin au début du siècle, les anatomistes ont constaté que le premier pesait environ 150 g de plus que le second, soit 10 % de plus. Pour ces médecins – des hommes, sans doute ! –, l'homme disposait d'une intelligence supérieure. Alors, le cerveau de l'homme est-il conçu différemment de celui de la femme ? Fonctionne-t-il de la même manière ?

L'INTELLIGENCE : UNE AFFAIRE DE TAILLE ?

Si le cerveau de l'homme est globalement plus gros et plus lourd que celui de la femme, on sait maintenant que la taille n'a aucun rapport avec l'intelligence. La clé de nos façons de réfléchir respectives se situe plutôt dans les liaisons qui s'opèrent entre les neurones. Et ces connexions évoluent avec le temps : il s'en crée de nouvelles au fil des apprentissages et des expériences.

LE RÔLE DE L'ACQUIS

Si l'on fait abstraction de cette affaire de taille et de poids, un cerveau d'homme peut ainsi ressembler davantage, dans son fonctionnement, à un cerveau de femme qu'à un autre cerveau d'homme. Et, à l'inverse, des ressemblances entre les cerveaux de deux personnes de même sexe ne sont pas forcément innées mais s'avèrent bien souvent acquises. Ainsi, on prétend que les hommes disposent d'une meilleure capacité d'orientation que les femmes.

En réalité, rien n'est préalablement programmé dans le cerveau masculin : une femme ayant les mêmes pratiques que celles traditionnellement et culturellement attribuées aux garçons (jeux vidéo, sport, conduite…) obtiendra les mêmes résultats.

PAS DE DIFFÉRENCES NOTABLES

En l'état actuel des recherches, on ne peut affirmer l'existence de différences notables, même si des travaux commencent à démontrer des différences de connectivité (à l'intérieur d'un même hémisphère ou entre hémisphères) entre les cerveaux féminin et masculin. Peut-être trouvera-t-on, un jour, une explication biologique aux façons de réfléchir et à d'autres spécificités de chacun des deux sexes !

09

DU VIN
DANS MON VERRE
ET DE L'AIR DANS
MES POUMONS

–

Environnement et comportements

Garder son portable dans la poche peut rendre un homme stérile

L'idée reçue ainsi formulée ne représente que la partie émergée de l'iceberg. Sur le sujet, la littérature est riche : on a pu lire que le Wi-Fi était nocif pour les testicules, qu'il les brûlait ou qu'il causait l'infertilité des hommes. On voit aussi circuler des vidéos sur lesquelles des portables permettent de cuire un œuf ou de faire sauter du pop-corn. Fascinant, n'est-ce pas ?

Très amusant surtout, si l'on rappelle qu'il s'agit de canulars. Malheureusement, la rumeur a pris l'avantage, et l'idée s'est répandue. Sans compter la légende selon laquelle garder son portable dans la poche pourrait provoquer le cancer du testicule.

Pour le moment, aucun effet sanitaire des radiofréquences n'est formellement avéré. Mais, dans le doute, elles ont été classées comme « peut-être cancérogènes pour l'homme », et elles pourraient également avoir des effets biologiques sur le sommeil et la fertilité masculine, même si les niveaux de preuves sont limités.

Ce que l'on sait de source sûre, c'est que les testicules abritent la spermatogenèse : c'est là que se fabriquent les spermatozoïdes. Si les testicules sont installés dans les bourses, c'est une affaire de température : elle est de 37 °C à l'intérieur du corps et plutôt de 35 °C dans les bourses, la température idéale pour la spermatogenèse. Au-dessus, le processus pourrait être bloqué. Or, dans le téléphone portable, le fonctionnement de la batterie peut produire une certaine chaleur. Le principe de précaution pourrait consister à éviter de soumettre les testicules à une chaleur prolongée de ce type.

Faire craquer ses os
peut donner de l'arthrose

Avant de décrypter cette idée reçue, il faut définir l'arthrose et l'arthrite. Car si ces deux pathologies appartiennent à la grande famille des rhumatismes, chacune possède son histoire et présente des symptômes bien particuliers.

L'arthrose correspond à la destruction du cartilage d'une articulation. C'est une maladie dégénérative dont la fréquence augmente avec l'âge et que l'on pourrait comparer à un phénomène d'usure.

L'arthrite est avant tout une atteinte inflammatoire de l'articulation. Elle se manifeste par une sensation de chaleur, de douleur, parfois un rougissement ou un gonflement au niveau de l'articulation. On ne connaît pas bien les causes de l'arthrite, même si le système immunitaire semble clairement entrer en jeu.

Deux définitions différentes, donc, pour des pathologies entre lesquelles des ponts existent, puisqu'elles touchent toutes deux les articulations.

Le fait de faire craquer ses doigts ou son cou ne peut évidemment pas avoir le moindre impact sur le système immunitaire ! Et, de manière générale, cela ne produit aucun effet particulier... à part, éventuellement, agacer profondément vos voisins de classe ou de bureau ! Précisons aussi que ce ne sont pas les os mais les articulations qui craquent. Dans ces articulations se trouvent des petites particules de gaz. Le craquement vient de la libération de ce gaz, et cela ne prête absolument pas à conséquence !

Il faut attendre 1 heure
après le repas pour se baigner

FAUX

La digestion occupe notre organisme un bon moment après le repas. Parce que la température corporelle augmente légèrement à cette occasion, une baignade après le repas (et donc pendant la digestion) ferait courir le risque d'une hydrocution. Décortiquons les différents éléments de cette idée reçue.

D'abord, le phénomène d'hydrocution existe bien, et son mécanisme est très simple : il relève en effet d'une différence entre la température extérieure et la température corporelle. S'il fait chaud, nos vaisseaux sanguins sont dilatés. Mais si l'on plonge dans une eau froide après avoir lézardé au soleil, les vaisseaux vont se rétracter rapidement : c'est la vasoconstriction. En se contractant si rapidement, les vaisseaux ne peuvent parfois plus assurer la circulation cérébrale, et donc l'oxygénation du cerveau : c'est la syncope. En temps normal, cette brève perte de connaissance est réversible, mais si elle survient dans l'eau, elle fait courir le risque de la noyade.

Ensuite, il est vrai que la digestion s'assortit d'une légère hausse de la température corporelle, mais pas suffisante pour être un argument valable. Et ce n'est là que le premier « mais ». Car la digestion est un processus très long. Si l'on ne considère que le passage dans l'estomac, les aliments y séjournent jusqu'à 4 heures ! Et c'est sans compter, en amont, la descente de l'œsophage. Si l'on plonge dans l'eau 1 ou 2 heures après le repas, on est toujours en pleine digestion ! Cette idée reçue ne tient donc pas debout. Un seul conseil : mieux vaut entrer progressivement dans l'eau fraîche si l'on a séjourné au soleil juste avant.

Une goutte d'eau de Javel permet de rendre l'eau potable

Voilà une astuce qui circule de voyageur en voyageur. Si l'on ne dispose plus d'eau potable, il faudrait avoir sur soi une petite fiole d'eau de Javel : quelques gouttes suffiraient à rendre n'importe quelle eau potable.

L'eau de Javel est bien connue pour ses vertus bactéricides. On estime en effet qu'une eau de Javel à 3,6 % de chlore actif peut rendre une eau potable, à condition d'en ajouter avec parcimonie : 3 gouttes seulement pour 1 litre d'eau. L'eau nouvellement potable peut être bue 1 heure après le mélange et jusqu'à 24 heures après.

Aux États-Unis, les autorités de santé font aussi état de cette possibilité en cas d'ouragan, d'inondation ou de rupture de tuyaux. En clair, quand il n'y a plus d'eau potable à disposition. Il est précisé que l'eau de Javel employée ne doit pas être parfumée et doit contenir 8,25 % d'hypochlorite de sodium. La recommandation indique alors 2 gouttes pour 1 litre d'eau. Si l'odeur est trop forte, il est conseillé d'attendre quelques heures avant de consommer l'eau.

Évidemment, mieux vaut éviter de telles expérimentations en dehors d'une réelle situation d'urgence, l'eau de Javel n'étant pas faite pour être bue. On rappelle d'ailleurs qu'elle doit être rangée en hauteur pour éviter qu'un enfant puisse attraper la bouteille et en boire, justement.

La pollution de l'air
est la pire de toutes

FAUX

Notre monde devient fou. Ou plutôt, on rend folle notre planète. Les pics de pollution se font de plus en plus nombreux, et la circulation alternée ne suffit pas à changer la donne : l'air que l'on respire en ville est toxique et accroît le risque de maladies respiratoires et cardio-vasculaires. Au plan mondial, on estime qu'1,3 million de personnes décèdent chaque année, intoxiquées par l'air de la ville.

Cependant, derrière cette pollution dont on parle beaucoup se cache une autre, plus discrète... Si insidieuse qu'elle s'est introduite dans nos logements, nos bureaux, nos écoles, ces lieux clos dans lesquels nous passons le plus clair de nos journées. Chaque année, on estime à 4,3 millions le nombre de personnes mourant prématurément à cause de maladies liées à la pollution intérieure. Il s'agit là de chiffres mondiaux concernant surtout des pays dans lesquels on cuisine et on se chauffe au bois ou au charbon.

Même si le système de chauffage est moins risqué dans nos habitats occidentaux qu'ailleurs, on compte chaque année en France environ 5 000 victimes du monoxyde de carbone, ce gaz inodore et invisible qui peut être généré par une chaudière à gaz ou à fuel, par exemple. La pollution intérieure peut aussi provenir du tabac, du radon, des produits de bricolage et des matériaux d'ameublement, des cosmétiques, des produits ménagers, des moisissures et autres allergènes. Ironie de l'histoire : même les produits de nettoyage peuvent ajouter à cette pollution ! Pour en limiter les effets, la recommandation est d'aérer son logement chaque jour pendant 10 minutes au minimum. Selon l'Observatoire de la qualité de l'air intérieur, en France, celui-ci est environ cinq fois plus pollué que l'air extérieur.

Il faut aérer son logement au moins 10 minutes par jour

VRAI

Nous passons le plus clair de notre temps à l'intérieur. Au bureau, à l'école et surtout à la maison : 14 heures quotidiennes, dont la plupart sont passées dans la chambre à coucher. Vivre dans un environnement sans régénérer l'air chaque jour est-il malsain, voire mauvais pour la santé ?

D'après une très large étude menée sur le lieu de résidence de nombreux Français, des moisissures, à l'origine de réactions allergiques et respiratoires, sont présentes dans plus d'un tiers des foyers. Tous les logements sont victimes de la pollution au formaldéhyde (que l'on trouve dans les produits de construction, les peintures, les vernis...) et 1 sur 10 est pollué par plus de 8 substances différentes. Il y a aussi le tabac, le radon (un gaz radioactif naturellement présent dans certains sols), l'utilisation de bougies ou d'encens... En bref, c'est par l'air et les particules qui y circulent que nos logements nous polluent.

Il est donc conseillé d'aérer au moins 10 minutes par jour, hiver comme été, si possible en évitant les heures de forte pollution atmosphérique. Par exemple, on évitera d'ouvrir ses fenêtres à 19 heures si l'on habite un quartier dans lequel la circulation est dense. 10 minutes, c'est un minimum ; l'aération doit être plus longue et/ou répétée en cas de bricolage, cuisine, ménage, séchage du linge, douche ou bain.

On parle là du domicile, mais il est également très important d'aérer les bureaux et les salles de classe car les risques du confinement y existent également. Pourquoi ne pas se partager cette responsabilité entre collègues au fil de la semaine ?

Le sucre
rend les enfants hyperactifs

〰️

FAUX

Combien d'enfants ont englouti un bol de bonbons au cours d'un goûter d'anniversaire ? Combien de parents racontent que leur rejeton était infernal, impossible à canaliser et même, ensuite, à coucher ? Le lien semble vite établi entre cet état de surexcitation et une forte consommation de sucre. Et même plus : au-delà des goûters d'anniversaire, l'idée se répand que le sucre provoquerait l'hyperactivité chez les enfants. Mais si l'on peut lui reprocher bien des choses, le sucre n'est pas responsable de tout !

HYPERACTIVITÉ OU SUREXCITATION ?

Si le terme « hyperactivité » semble faire référence à un état d'excitation intense, il s'agit certainement là d'une première idée reçue à combattre. L'hyperactivité, que l'on nomme plus scientifiquement trouble du déficit de l'attention avec ou sans hyperactivité (TDAH), se caractérise par la conjugaison de trois symptômes distincts : un déficit de l'attention, c'est-à-dire une incapacité à rester concentré sur une seule et même activité jusqu'au bout et sans se laisser distraire ; une hyperactivité motrice, soit l'impossibilité de tenir en place ; l'impulsivité qui donne à l'enfant le sentiment de ne pouvoir attendre, de devoir agir tout de suite, quitte à interrompre l'activité d'autres personnes.

Si l'on connaît mal les causes de l'hyperactivité, on comprend qu'il s'agit là d'autre chose que d'une simple surexcitation momentanée. D'ailleurs, on estime que le trouble du déficit de l'attention touche entre 4 et 8 % des enfants et que la plupart d'entre eux en présenteront encore des symptômes à l'âge adulte... qu'ils mangent ou pas du sucre ! Plus sérieusement, des études ont démontré qu'il n'existe aucun lien entre la consommation de sucre et le trouble du déficit de l'attention avec (ou sans) hyperactivité.

Son origine serait peut-être à chercher dans notre cerveau : en travaillant sur des souris transgéniques, des chercheurs ont émis l'hypothèse d'une origine neurobiologique.

LE SUCRE DÉDOUANÉ... PAS POUR TOUT !

Quant au phénomène de surexcitation que les parents croient observer quand, d'après eux, leur progéniture abuse des sucreries, ce n'est qu'une vision de l'esprit. Les études se suivent et se ressemblent, concluant toutes que la consommation de sucre n'influe pas sur le comportement des enfants.

Mieux vaut, toutefois, limiter leur consommation de soda, car le sucre est bel et bien en cause, en revanche, dans des pathologies graves comme le diabète ou l'obésité.

～～～～

MOINS DE SUCRE

L'Organisation mondiale de la santé recommande de limiter les apports en sucres libres à moins de 10 % de la ration énergétique, voire, mieux encore, à moins de 5 % de cette ration, soit l'équivalent de 6 cuillères à café. Par « sucres libres », on entend le glucose, le fructose et le sucre de table, c'est-à-dire le sucre naturellement présent dans les aliments (fruits, jus de fruits, miel) et celui qu'ajoutent industriels et cuisiniers. En limitant ces apports, on diminue aussi le risque de développer des caries dentaires, un surpoids ou une obésité.

L'OMS nous appelle à la vigilance en rappelant que la majorité des sucres que l'on consomme aujourd'hui sont cachés. Ainsi, 1 cuillère à soupe de ketchup contient 4 g (1 cuillère à café) de sucre, et 1 canette de soda, jusqu'à 40 g.

Un homme peut boire 3 verres d'alcool par jour, une femme 2 verres

FAUX

À partir de quand commence l'abus d'alcool ? D'après une ancienne campagne de prévention, après 2 verres, tout s'accélère ! C'est, en quelque sorte, l'ancêtre de l'idée reçue que l'on aborde ici. Au fil du temps, les recommandations se sont affinées, et l'on a vaguement en tête cette idée selon laquelle un homme pourrait boire jusqu'à 3 verres quotidiens, contre 2 pour la femme, sans pour autant mettre sa santé en danger.

Pour être précis, encore faudrait-il définir la contenance d'un verre et tenir compte de la teneur en alcool de chaque boisson. On considère qu'une bière de 25 cl correspond à une dose d'alcool fort (whisky, rhum, cognac) de 2,5 cl, à un verre d'apéritif de 7 cl ou à un verre de vin standard (10 cl). Jusqu'à il y a peu, on considérait donc que limiter sa consommation à 2 ou 3 doses de ces équivalences réduisait aussi le risque d'entrer dans la zone rouge.

En réalité, on sait que l'alcool peut déjà s'avérer toxique dans une moindre consommation. Ainsi, le risque de cancer (du foie, des voies aérodigestives et du sein notamment) existe déjà dans les cas d'une consommation faible. Et plus la consommation s'intensifie en quantité et en fréquence, plus le risque augmente.

Aujourd'hui, les recommandations ont évolué et ne font plus de différences entre les sexes. On suggère aux consommateurs de ne pas dépasser l'équivalent de 10 verres répartis sur 1 semaine, en respectant 2 jours sans alcool. On rappelle qu'il s'agit là de moyennes et que tous les individus ne sont pas égaux face au risque que fait courir la consommation d'alcool. Mais ce risque individuel, on ne le connaît pas en amont.

Boire de l'alcool, ça réchauffe

FAUX

À l'origine, il y a l'image du saint-bernard, ce gros chien montagnard et velu portant à son cou un petit tonneau d'alcool visant à réchauffer toute personne retrouvée frigorifiée dans le froid glacial. Le nom de l'animal est même devenu un nom commun, désignant plus généralement une personne dévouée, un sauveur au grand cœur. Jusque-là, tout vous semble logique puisque, c'est bien connu, l'alcool réchauffe !

L'histoire est belle, mais la réalité est un peu différente... même si un petit verre d'alcool procure, il est vrai, une sensation de chaleur ! Cette sensation provient de l'effet vasodilatateur de l'alcool : les vaisseaux situés à la surface du corps se dilatent, et le sang y circule davantage, apportant de la chaleur jusqu'au bout des doigts. C'est une sensation aussi réelle que fugace... et trompeuse ! Si la consommation d'alcool est limitée, la sensation de froid revient rapidement. Si elle est plus importante, le déplacement de la chaleur de l'intérieur du corps (là où sont situés nos organes vitaux) vers l'extérieur du corps (extrémité des doigts, visage) peut conduire à l'hypothermie.

Si vous avez besoin de vous réchauffer en haute montagne ou en période de grand froid, mieux vaut miser sur des vêtements adaptés ou sur une boisson chaude : c'est plus sûr que le mythique tonneau du saint-bernard !

Il faut boire
1,5 l d'eau par jour

VRAI

On ne dirait pas comme ça, mais l'être humain est majoritairement composé d'eau. On estime que l'organisme contient entre 60 et 65 % d'eau, soit l'équivalent de 45 litres d'eau pour un adulte pesant 70 kg. Il s'agit d'une moyenne, qui varie notamment selon l'âge et la corpulence de chacun. Ainsi, la proportion d'eau sera plus importante que la moyenne chez une personne maigre, mais moindre chez une personne âgée, car elle diminue au fil des années ; c'est pourquoi une personne âgée aura tendance à se déshydrater.

BOIRE DE L'EAU : POURQUOI ?

Si le corps est composé d'eau aux deux tiers, il ne sait pas la stocker. Ainsi, en urinant, en transpirant et même en respirant, l'organisme élimine de l'eau au cours de la journée, et le phénomène s'intensifie par une forte chaleur ou lors d'un effort physique. Voilà pourquoi l'on a besoin, pour se maintenir en bonne santé, de compenser ces pertes et de consommer l'eau qui va assurer le bon fonctionnement des organes et des tissus. En contrepartie de l'eau éliminée, on estime les besoins quotidiens d'une personne à 2,5 l d'eau. Là encore, il s'agit d'une moyenne pour un adulte vivant dans une région tempérée et n'ayant pas une activité physique particulière. Sur cette quantité globale, on estime que 1 litre doit provenir des aliments, et le reste (1,5 l) de la boisson. Par boisson, on entend l'eau, bien sûr, mais aussi le thé ou le café, largement composés d'eau. En revanche, l'alcool ne participe pas à l'hydratation du corps, bien au contraire.

S'HYDRATER AVANT LA SOIF

Boire de l'eau, c'est indispensable à notre santé, et la sensation de soif est généralement là pour nous le rappeler. Mais chez certains, cette sensation est quasi inexistante et ne les invite pas à boire suffisamment, ce qui risque de les mener à la déshydratation. Il faut donc observer d'autres signes d'un besoin en eau, en particulier chez les personnes fragiles. Chez le nourrisson, dont le corps est très riche en eau (de 80 à 85 % de son organisme), la déshydratation peut se manifester par un comportement inhabituel : le bébé dort beaucoup, il gémit ou respire vite. Certains signes physiques peuvent aussi alerter : il a les yeux cernés ou les fontanelles présentent une forme de dépression. Enfin, si le bébé continue à vomir malgré les solutions de réhydratation et s'il perd du poids, il faut consulter rapidement. Chez la personne âgée, il s'agit d'être attentif à une perte d'appétit, à une somnolence inhabituelle ou à un épisode de fièvre. Faute de surveillance de ces signes, la personne âgée peut subir une déshydratation grave qui mettra en péril le bon fonctionnement de ses organes, avec une perte de plus de 5 % du poids du corps.

De manière générale, il est conseillé d'inciter les nourrissons, les jeunes enfants et les personnes âgées à boire tout au long de la journée.

DE L'EAU, MAIS PAS TROP !

À l'inverse, boire trop d'eau peut s'avérer problématique. Ainsi, la potomanie, qui se caractérise par le besoin de boire au-delà de la soif (plus de 5 litres par jour, par exemple), peut entraîner une diminution de la quantité de sodium dans les cellules. On parle alors d'hyponatrémie, qui peut se manifester par des nausées, des maux de tête, et provoquer des convulsions, le coma, et jusqu'à la mort.

LA TENEUR EN EAU DES ORGANES

La teneur en eau varie d'un organe à l'autre. Ainsi, l'ivoire des dents ne contient que 1 % d'eau, contre 90 % dans le plasma sanguin.

TABAC, CANNABIS, ALCOOL : CES SUBSTANCES QUI NOUS DÉTENDENT

Dans la grande famille de nos comportements, il y a notre façon de manger, de dormir et de pratiquer du sport. On y range aussi des consommations pas toutes avouables : la cigarette, le cannabis et l'alcool, des substances reconnues comme addictives. Les consommateurs, eux, y trouvent une soupape de détente dans un monde bien stressant.

LE CANNABIS DÉTEND
Jusqu'à quel point ?

Le cannabis est considéré comme un stupéfiant, avec tout ce que cela comporte comme risques d'accoutumance. Mais, bien souvent, les utilisateurs vantent ses vertus relaxantes : ils planent, se sentent détendus, ou au contraire plus euphoriques et insouciants, ce qui s'assortit d'une augmentation de la confiance en soi, d'une facilité de communication avec les autres et parfois d'un sentiment de plus grande créativité. En réalité, la consommation de cannabis détend tellement qu'elle peut induire un ralentissement des réflexes et un état de somnolence. Mais bien loin des effets qu'il recherche, le consommateur peut faire l'objet de ce que l'on appelle un *bad trip*, qui se traduit par un grand sentiment de malaise, voire d'angoisse. Il peut aussi être victime de crises de panique, de paranoïa ou d'un état dépressif, aux antipodes des vertus relaxantes espérées au moment d'allumer un joint. Si ces troubles finissent par disparaître, il peut arriver que la consommation de cannabis déclenche ou aggrave des troubles mentaux chez une personne fragile ou déjà concernée. On sait enfin que la mémoire à court terme, la concentration et les réflexes sont diminués.

LA CIGARETTE DÉSTRESSE
Les études ne l'attestent pas

Il y a les cigarettes que l'on fume par habitude sur le chemin du travail ou avec le café, celles que l'on envisage comme un vecteur de détente au moment de la pause ou après avoir terminé un examen, et enfin celles que l'on allume pour gérer le stress : au moment de rédiger un texte important ou juste avant d'entrer en réunion avec son supérieur, par exemple. On croit encore que la cigarette est une amie qui nous veut du bien, alors que la dépendance s'est déjà installée : la consommation de nicotine augmente la production de dopamine, responsable de la sensation de bien-être. Mais c'est un puits sans fond : plus une personne fume, plus elle se crée des besoins en dopamine, et quand ils sont insatisfaits, c'est l'état de manque, qui se traduit par du stress. C'est donc la dépendance qui crée le stress, et quand la cigarette semble le soulager, elle ne fait qu'entretenir l'illusion.

L'ALCOOL DÉSINHIBE
Autant qu'il embue l'esprit

La consommation d'alcool est une recherche de plaisir à la fois gustatif et social : on se retrouve autour de l'apéritif entre amis après une grosse journée de travail. On se détend, on s'amuse, on oublie les soucis. Et tout cela, c'est en partie grâce à l'alcool, qui estompe la timidité ou certaines formes de craintes sociales, qui donne l'impression que les tâches cognitives se réalisent plus facilement. L'alcool désinhibe. Pas besoin d'être ivre pour le ressentir : cet effet se manifeste en deçà de 0,5 g par litre de sang. Le problème de l'alcool, c'est qu'une consommation même faible suffit à provoquer des drames (selon les quantités et les fréquences d'absorption, on estime que la consommation d'alcool serait responsable de plus de 200 maladies différentes) et qu'il existe un facteur de risque individuel que l'on ignore. Ce que l'on sait, c'est qu'en plus d'être la deuxième cause de mortalité évitable après le tabac, l'alcool peut avoir de graves conséquences sociales, comme la conduite en état d'ivresse ou des passages à l'acte violents.

On peut être accro
au footing

VRAI

On connaissait la dépendance à la cigarette, à la cocaïne, on évoque celle au chocolat en souriant… mais est-il vraiment possible de développer une addiction à la course à pied ou à la musculation ?

Aussi surprenant que cela puisse paraître, c'est en effet possible, et cela n'étonne pas les médecins du sport, habitués à croiser ce genre de cas. L'explication se trouve dans la sécrétion d'endorphine, une substance libérée par le cerveau. On l'appelle souvent l'« hormone du plaisir » ou l'« hormone du bonheur », et pour cause. L'endorphine a des propriétés analgésiques, c'est-à-dire qu'elle a la capacité de prévenir ou de réduire la douleur ressentie, et pour ce faire, elle se fixe sur les mêmes récepteurs des cellules nerveuses que la morphine. En résumé, l'endorphine est une morphine endogène, c'est-à-dire fabriquée par l'organisme lui-même ! Or les produits morphiniques, qu'il s'agisse de la drogue ou de certains médicaments, induisent une dépendance physique. Il en va de même pour l'endorphine. Le coureur a donc envie de recommencer et de courir encore, pour retrouver cette sensation de bien-être que lui procure la course.

On sait que les endorphines sont libérées pendant et après un exercice physique intense ; on estime qu'il faut au moins 45 minutes d'activité physique pour libérer une bonne dose d'endorphines et en ressentir les bienfaits. Si le terme d'addiction est péjoratif, c'est en réalité une bonne chose d'avoir envie de programmer une nouvelle course ou une autre séance de muscu ! En revanche, si le sportif s'isole et que cette nouvelle passion le coupe de sa vie sociale, il est important qu'il aille consulter un médecin.

Il faut manger des pâtes avant un effort sportif

FAUX mais...

Coquillettes, tagliatelles ou capellinis ? L'idée reçue ne précise pas le type de pâtes à consommer avant une activité physique mais se concentre sur l'importance d'absorber des sucres lents.

Les pâtes appartiennent à la famille des féculents, qui regroupe les aliments issus du pain, des céréales et des légumineuses. S'y côtoient les biscottes, le riz, les pois chiches, les lentilles, le blé et, bien sûr, la farine que l'on en tire... et que l'on utilise dans la confection des pâtes alimentaires.

Ces féculents sont également appelés « glucides complexes » ou « sucres lents ». C'est une façon de les différencier des sucres rapides ou glucides simples, que l'on retrouve dans les aliments sucrés comme les confiseries, les sodas, les pâtisseries... À la différence de ces glucides simples, nos féculents – et donc nos pâtes – fournissent une énergie que le corps peut employer de manière progressive. Mais les pâtes n'en sont pas plus pourvoyeuses que le pain, le riz ou les haricots rouges.

Par ailleurs, il est recommandé de manger des féculents à chaque repas, selon son appétit. On peut donc en varier la dose en fonction de l'effort sportif à fournir ; mais s'il s'agit d'un tour à vélo ou d'un footing du dimanche, nul besoin de changer ses habitudes alimentaires... Et si vous jouez en ligue 1 en tant que footballeur professionnel, un nutritionniste s'est certainement déjà penché sur vos menus ! Pour finir, voici un conseil qui concerne à la fois les amateurs et les professionnels : s'hydrater avant et pendant l'effort. À vos marques... !

L'exercice,
ça fait maigrir

Quand arrivent les beaux jours, tous les magazines féminins en parlent. Sur Internet aussi, on associe bien souvent l'exercice physique à la perte de poids. Que l'on vous propose de suivre un programme ou les services d'un coach, la promesse est la même : bouger son corps ferait perdre les kilos superflus. Alors, vous dit-on la vérité ?

LA CLÉ : LA RÉGULARITÉ !

Cette idée reçue est à la fois vraie et fausse, tout dépend des conditions que l'on s'impose. Si l'on bouge sans prêter attention à son alimentation et que l'on se jette sur un burger-frites après ½ heure de footing, il y a peu de chances que le sport produise sur la silhouette l'effet escompté. En revanche, manger raisonnablement en limitant les excès d'aliments trop caloriques tout en pratiquant une activité physique régulière permettra certainement de perdre les kilos en trop.

La clé du succès réside dans la régularité : un régime drastique pendant 1 mois ou une session de footing effrénée n'aura aucun effet sur le chiffre affiché par la balance. Tout ce que l'on risque de gagner, c'est de se venger sur les aliments un temps interdits ou de se dégoûter du sport. Et puis au-delà de la conscience personnelle (bonne ou mauvaise !), il y a la physiologie de l'organisme, qui a tendance à stocker ce qui n'est pas employé directement. Pour simplifier, on peut dire que la masse grasse correspond à une réserve d'énergie pour le corps. Si l'on souhaite perdre du poids, il faut inciter l'organisme à aller se servir dans ces stocks déjà disponibles, c'est-à-dire dans la masse graisseuse. L'idéal serait donc d'ingérer un peu moins de calories que nécessaire pour que l'organisme ait besoin de se fournir en énergie non seulement dans ce que l'on vient de manger mais, en plus, dans le gras stocké.

MANGER POUR MAIGRIR

Évidemment, tout cela doit se faire progressivement : inutile d'imaginer perdre sa culotte de cheval ou son ventre rebondi en 2 heures de tennis ou en supprimant un repas quotidien ! Si l'on prive trop l'organisme, il va réagir comme s'il faisait face à une pénurie et stocker davantage. Plusieurs études le montrent : le fait de sauter des repas est souvent associé à la prise de poids. D'ailleurs, les médecins du sport confirment que la pire façon de se lancer dans un régime serait de sauter des repas. Résultat : même si cela semble paradoxal, il faut manger pour maigrir... mais pas n'importe quoi ! Éviter les produits caloriques pour n'apporter à l'organisme qu'un peu moins que ce dont il a besoin. Tout cela en pratiquant une activité physique régulière. Il s'agit finalement d'adopter une hygiène de vie globale, à la fois alimentaire et physique.

ATTENTION À L'INTOX

Le secret, c'est la progressivité, bien loin des assertions que l'on peut lire dans certains magazines ou sur des sites Internet. Exemple : une pinte de bière de 180 calories correspondrait à 14 minutes de footing, un plat de spaghettis à la bolognaise (710 kcal) à 1 heure de corde à sauter, un cône glacé au chocolat (160 kcal) à 34 minutes de ping-pong, un sandwich jambon-beurre (735 kcal) à un match de foot, et un bol de riz à 22 minutes de natation ! Ce serait si simple... Mais alors, ce match de foot, on le joue comme attaquant ou au poste de goal ? On voit bien que ce type de correspondances, certes amusantes, n'a aucun sens. Cela donne bonne conscience, mais on risque d'être déçu par le résultat. Et l'activité physique n'est pas seulement bénéfique pour se sculpter un joli corps : associée à un régime alimentaire équilibré, elle participe notamment à la prévention du cancer et des maladies cardio-vasculaires. Une marche rapide, ça vous irait, pour commencer ?

~~~~~~

Une pratique du sport excessive avant la fin de l'adolescence stoppe la croissance

Certains sports comme la musculation et la gymnastique, pratiqués de manière trop intense avant la fin de l'adolescence, pourraient, selon certaines croyances, bloquer la croissance. Vérité ou idée reçue ?

Le jeune enfant grandit beaucoup, et sa taille double entre sa naissance et ses 4 ans ; puis il gagne ensuite 5 à 6 cm par an jusqu'à la puberté. Tout cela est très encadré : dans le carnet de santé, le médecin remplit les courbes de croissance pour s'assurer que l'enfant grandit (et grossit) dans la norme, qui concerne 97 % de la population.

Chez les filles, un pic de croissance se produit vers 10-11 ans, pour ralentir vers 15-16 ans. Chez les garçons, le pic survient vers 12 ans et demi. Pendant cette période, l'adolescent peut prendre plus de 10 cm par an. Ses os longs, jusqu'alors constitués de cartilage de croissance, grandissent et se calcifient jusqu'à devenir des os adultes.

L'activité physique n'est pas considérée comme un facteur de risque du trouble de la croissance, mais attention au sport à trop haute dose. Les jeunes sportifs doivent – encore plus que les adultes – respecter une progressivité dans leur pratique et être encadrés. En effet, pas question qu'un enfant aille au-delà de ses limites ni, par exemple, qu'on lui impose de porter une charge trop importante par rapport à ce que son organisme peut supporter : cela pourrait causer des dommages parfois irréparables. Il est donc important de respecter l'évolution métabolique de chacun. Et si un enfant souhaite pratiquer un sport de manière assidue, mieux vaut qu'il soit accompagné par un entraîneur spécialisé.

Courir, c'est mauvais
pour les genoux

Quel est le point commun entre la course à pied, le tennis et le basket-ball ? Il s'agit bien de trois sports… qui diffèrent de la natation, par exemple, en ce sens qu'ils sollicitent beaucoup les genoux. Chez certains sportifs, ces pressions répétées sur le genou engendrent des douleurs. Faut-il alors arrêter la course, désignée comme le sport ennemi de nos genoux ?

Pas si vite ! À moins d'être atteint d'une pathologie des membres inférieurs connue, il n'y a pas d'urgence à arrêter le sport. En cas de douleur récurrente, on commence par aller consulter. Si le médecin diagnostique une malformation, une arthrose, une entorse ou une autre pathologie du genou, alors, en effet, mieux vaut éviter d'aggraver la douleur déjà ressentie. De même, en cas de surpoids, on peut commencer par marcher, faire du vélo ou de l'aviron, le temps de perdre les kilos superflus. Mais mieux vaut remettre à plus tard la course à pied : elle pourrait imposer trop de contraintes aux genoux et les faire souffrir, voire les abîmer.

Pour le reste, aucune contre-indication ! En revanche, il faut rester vigilant. On oublie trop souvent que nos accessoires sont nos meilleurs ou nos pires alliés. En l'occurrence, pour courir, il faut s'équiper de chaussures… de course, évidemment ! Ce sont les seuls modèles à avoir été conçus avec un amorti idéal pour ce sport. La semelle vous permet de sentir l'impact au sol sans pour autant vous le faire subir de plein fouet. Ainsi, le corps adapte sa posture avec le bon tonus musculaire et sans douleur !

TABLE DES MATIÈRES

BIBLIOGRAPHIE

Chapitre 1 : Bien dans son assiette !
- *Les Acides gras oméga 3, fonctions dans l'organisme et besoins alimentaires*, juin 2016, www.anses.fr
- « Acides gras poly-insaturés (oméga 3, oméga 6) et fonctionnement du système nerveux central », M. Lavialle et S. Layé, *Innovations agronomiques*, nº 10, 2010
- *Allergies*, dossier de l'INSERM réalisé avec la collaboration du conseil scientifique de la Société française d'allergologie, mars 2016, www.inserm.fr
- « Allergénicité des protéines laitières », Jean-Michel Wal, laboratoire d'immuno-allergie alimentaire, INRA-CEA, service de pharmacologie et d'immunologie, *Innovations agronomiques*, 2011
- *Anatomie et physiologie humaines*, Elaine N. Marieb et Katja Hoehn, éd. Pearson ERPI, 2015
- *Les Boissons « light » associées à une augmentation du risque de diabète de type 2*, 7 février 2013, www.inserm.fr
- *Broméláine (broméline)*, 18 août 2014, www.vidal.fr
- *Bulletin de l'Académie nationale de médecine*, n° 8, novembre 2011
- *Le Chocolat noir est bon pour le cœur*, Fédération française de cardiologie, communiqué de presse du 5 mars 2014
- « Consumption of Artificially and Sugar-Sweetened Beverages and Incident Type 2 Diabetes in the Étude Épidémiologique Auprès des Femmes de la Mutuelle Générale de l'Éducation Nationale - European Prospective Investigation into Cancer and Nutrition Cohort », G. Fagherazzi, A. Vilier, D. Sartorelli, M. Lajous, B. Balkan et F. Clavel-Chapelon, *The American Journal of Clinical Nutrition*, janvier 2013
- *Des aliments allégés surconsommés, mais pas si bons pour la santé*, www.mangerbouger.fr
- *Des émulsions modèles de la digestion révèlent l'effet protecteur des polyphénols*, Claire Dufour, UMR Sécurité et qualité des produits d'origine végétale, INRA
- *Eating More Fruits and Vegetables May Prevent Millions of Premature Deaths*, Kate Wighton et Thomas Angus, Imperial College of London, février 2017
- *L'Eau dans l'organisme*, www.cnrs.fr
- *Étiquetage des glucides : attention aux interprétations trompeuses*, unité de diététique de l'hôpital d'instruction des armées Percy, 11 avril 2014, www.defense.gouv.fr
- *Garlic*, University of Mariland Medical Center, www.umm.edu
- *Grippe*, dossier de l'INSERM réalisé avec Bernadette Murgue, Institut de microbiologie et maladies infectieuses (Aviesan), janvier 2012
- *Le Guide nutrition de la grossesse*, Programme national nutrition santé, édition corrigée, mai 2016
- *L'Intolérance au gluten : définition, causes et facteurs favorisants*, 4 mai 2017, www.ameli.fr
- *Intolérance au lactose : définition et symptômes*, 24 avril 2017, www.ameli.fr
- *Is It True That Onions Can Absorb Bacteria?*, Joe Schwarcz, University of McGill Blogs, www.blogs.mcgill.ca
- *Migraine : la clinique*, D. Annequin, M.-G. Bousser, B. de Lignières, N. Fabre, H. Massiou, A. Pradalier et F. Radat, www.inserm.fr
- *Nutrition et santé*, dossier de l'INSERM avec la collaboration du Pr Serge Hercberg, octobre 2013
- « Panel on Dietetic Products, Nutrition and allergies (NDA) », *EFSA Journal*, 2011
- *Prise en charge de l'acné*, Société française de dermatologie, actualisation 2015, www.reco.dermato-sfd.org
- *Promouvoir la consommation de fruits et légumes dans le monde*, stratégie mondiale pour l'alimentation, l'exercice physique et la santé, OMS, www.who.int
- « Spicing » Up Your Love Life Possible, Study Finds, University of Guelph, communiqué du 28 mars 2011
- « The Essential Medicinal Chemistry of Curcumin », Kathryn M. Nelson, Jayme L. Dahlin, Jonathan Bisson, James Graham, Guido F. Pauli et Michael A. Walters, *Journal of Medicinal Chemistry*, 2017
- *Votre santé par les plantes, le guide phyto utile pour toute la famille*, Daniel Scimeca et Max Tétau, éd. Alpen
- www.mangerbouger.fr

Chapitre 2 : Un heureux événement
- *Accouchements multiples*, INSEE, statistiques d'état civil sur les naissances
- *Alcool et santé*, dossier de l'INSERM réalisé en collaboration avec le Pr Mickaël Naasila, directeur de l'équipe INSERM ERI 24, Groupe de recherche sur l'alcool et les pharmacodépendances (GRAP), et Bertrand Nalpas, directeur de recherche à l'INSERM et chargé de la mission « Addiction », mars 2016
- *Comprendre et gérer la fièvre chez l'enfant*, 9 juin 2017, www.ameli.fr
- *Comprendre l'anémie*, 7 juin 2017, www.ameli.fr
- *Convulsions fébriles de l'enfant*, 30 mars 2017, www.ameli.fr
- *Déshydratation*, 24 avril 2017, www.ameli.fr
- *La Douleur en question*, Centre national de ressources de lutte contre la douleur, www.cnrd.fr
- « Dr Papa : "On peut choisir le sexe de son futur enfant par un régime approprié" », Anne Jeanblanc, *Le Point*, 18 février 2011
- *L'Eau dans l'organisme*, www.cnrs.fr
- *Élever son enfant, 0-6 ans*, Pr Marcel Rufo et Christine Schilte, Hachette Famille, 2013
- « Human Births and the Phase of the Moon », G. O. Abell et B. Greenspan, *New England Journal of Medicine*, 11 janvier 1979
- « Lunar Phases and Incidence of Spontaneous Deliveries: Our Experience », E. Periti et R. Biagiotti, *Minerva Ginecologica*, juillet-août 1994
- *Morphogenèse des tissus fibrés*, laboratoire Matière et systèmes complexes, CNRS, université Paris Diderot
- *Les Morts inattendues des nourrissons de moins de 2 ans*, enquête nationale 2007-2009, Institut de veille sanitaire, 2011
- *Ohio State Study: Baby's Sex Plays a Role in Pregnant Women's Immunity*, The Ohio State University, 9 février 2017
- « Pickles and Ice Cream! Food Cravings in Pregnancy: Hypotheses, Preliminary Evidence, and Directions for Future Research », Natalia C. Orloff et Julia M. Hormes, *Frontiers in Psychology*, 23 septembre 2014
- « Port de colliers de dentition chez le nourrisson », A. Taillefer, A. Casasoprana, F. Cascarigny et I. Claudet, *Archives de pédiatrie*, octobre 2012
- « Preconceptional Selection of Fetal Sex », Joseph Stolkowski et Jacques Lorrain, *Obstetrics and Gynecology*, novembre 1980
- *Prise en charge de la fièvre chez l'enfant*, fiche mémo de la Haute autorité de santé, octobre 2016
- *Sécurité des colliers et bracelets pour jeunes enfants*, 18 mai 2017, www.economie.gouv.fr
- *Les Symptômes de la poussée dentaire*, 22 mars 2017, www.ameli.fr
- « The Effect of the Lunar Cycle on Frequency of Births and Birth Complications », J. M. Arliss, E. N. Kaplan et S. L. Galvin, *American Journal of Obstetrics and Gynecology*, mai 2005
- « The Moon and Delivery », J. Romero Martinez, I. Guerrero Guijo et A. Artura Serrano, *Revista de enfermería*, novembre 2004
- *Les Vrais Jumeaux ont-ils les mêmes empreintes digitales ?*, David Carter, 3 octobre 2008, www.sciencepresse.qc.ca
- « Y a-t-il une saison pour faire des enfants ? », Arnaud Régnier-Loilier et Jean-Marc Rohrbasser, *Population et sociétés*, n° 474, janvier 2011

Chapitre 3 : Ça pique les yeux !
- « Alteration of Tear Mucin 5AC in Office Workers Using Visual Display Terminals », Yuichi Uchino, Miki Uchino et Nrihiko Yokoi, *Jama Ophtalmology*, août 2014
- « Animales rêveries », Mehdi Tafti, *Sciences et Avenir*, hors-série, 1996
- *Les Anomalies de la vision chez l'enfant et l'adolescent*, Caroline Kovarski, Lavoisier, 2ᵉ éd.
- *Chronobiologie, les 24 heures chrono de l'organisme*, dossier de l'INSERM réalisé en collaboration avec le Dr Claude Gronfier, neurobiologiste à l'Institut cellule souche et cerveau, décembre 2013

- *Comité français de la pharmacopée*, « *plantes médicinales et huiles essentielles* », CP022016013, Agence nationale de sécurité du médicament et des produits de santé, janvier 2016
- *Comprendre la DMLA*, www.ameli.fr
- « Cucurbitacins, a Promising Target for Cancer Therapy », Dr Abdullah A. Alghasham, *International Journal of Health Sciences*, 7 janvier 2013
- *Les LED, pas si inoffensives que ça...*, 4 janvier 2017, www.inserm.fr
- « Maturation visuelle et électrophysiologie pédiatrique », Florence Rigaudière, Éliane Delouvrier et Jean-François Le Gargasson, *Œil et physiologie de la vision*, 22 décembre 2008, mis à jour le 18 juin 2013
- « Myopia: The Evidence for Environmental Factors », *Environmental Health Perspectives*, janvier 2014
- *Le Sommeil et l'âge*, Réseau Morphée, 19 septembre 2016, www.reseau-morphee.fr
- *Le Sommeil et les rythmes de l'enfant*, Françoise Delormas, Société française de recherche et de médecine du sommeil, www.sommeil.univ-lyon1.fr

Chapitre 4 : À fleur de peau
- *Les Autres Effets cutanés*, ministère des Solidarités et de la Santé, 25 mai 2012
- *Les Bonnes Attitudes contre la carence en vitamine D*, INSERM, 29 septembre 2014, www.inserm.fr
- « Comparaison des brosses à dents électriques et manuelles pour l'entretien de la santé bucco-dentaire », M. Yaacob, H. V. Worthington, S. A. Deacon, C. Deery, A. D. Walmsey, P. G. Robinson et A. M. Glenny, *Cochrane*, 17 juin 2014, www.cochrane.org
- *Comprendre les caries dentaires*, 2 juin 2017, www.ameli.fr
- « Dermatite des parfums », dans *Dictionnaire médical de l'Académie de médecine*
- Focus chewing-gum sans sucres, Union française pour la santé bucco-dentaire, www.ufsbd.fr
- *Funérailles de l'empereur Napoléon, relation officielle de la translation de ses restes [...] et description du convoi funèbre*, Ferdinand Langlé, 1840, éd. L. Curmer
- *Histologie : organes, systèmes et appareils. Chapitre 5 : la peau et les phanères*, faculté de médecine Pierre et Marie Curie, www.chups.jussieu.fr
- *L'Humain à peau blanche a moins de 8 000 ans !*, Cité des sciences et de l'industrie, mai 2015, www.cite-sciences.fr
- *Jusqu'au bout des cheveux et des ongles*, CNRS, www.cnrs.fr
- *La Peau de couleur*, Société française de dermatologie, www.dermato-info.fr
- *La Peau et les phanères*, faculté de médecine Pierre et Marie Curie, www.chups.jussieu.fr
- *Les Photosensibilisants, soleil, bronzage, risque*, Société française de dermatologie, www.dermato-info.fr
- « Psoralène », *Larousse médical*, www.larousse.fr
- *Rayonnement ultraviolet*, Fondation contre le cancer, www.cancer.be
- *Soins infirmiers en médecine et chirurgie*, Brunner et Suddarth, Suzanne C. Smeltzer et Brenda G. Bare, De Boeck, 5ᵉ éd.
- *Le Soleil et la peau*, Société française de dermatologie, www.dermato-info.fr
- *Soleil et santé, comment profiter du soleil en toute sécurité*, OMS
- *Les Traitements par la lumière*, Société française de dermatologie, www.dermato-info.fr

Chapitre 5 : Allô maman bobo
- « A Comprehensive Breath Plume Model for Disease Transmission via Expiratory Aerosols », Siobhan K. Halloran, Anthony S. Wexler et William D. Ristenpart, *PLOS ONE*, 15 mai 2012
- *A Sudden Drop in Outdoor Temperature Increases the Risk of Respiratory Infections*, University of Gothenburg, 5 décembre 2016
- *Comprendre le mal de dos*, 24 avril 2017, www.ameli.fr
- « Cryotherapy with Liquid Nitrogen Versus Topical Salicylic Acid Application for Cutaneous Warts in Primary Care: A Randomized Controlled Trial », *Canadian Medical Association Journal*, 13 septembre 2010
- *Des fausses croyances sur le VIH-sida*, 28 mai 2015, www.preventionsida.org
- *Le Diagnostic et le traitement du mal de dos*, 5 mai 2017, www.ameli.fr
- *Épistaxis*, 24 avril 2017, www.ameli.fr
- *Gastro-entérite de l'adulte : bons réflexes et consultation médicale*, 4 avril 2014, www.ameli.fr
- *Gastroentérites et déshydratations*, Société française de pédiatrie
- « Granulated Sugar as Treatment for Hiccups in Conscious Patients », The New England Journal of Medicine, 23 décembre 1971
- « Hoquet », définition du *Dictionnaire médical de l'Académie de médecine*
- *Hoquet rebelle*, J. Cabane, service de médecine interne,

hôpital Saint-Antoine
- *Infarctus chez la femme, savoir identifier les symptômes méconnus*, Fédération française de cardiologie, 20 septembre 2016
- *Infarctus du myocarde*, mai 2013, www.inserm.fr
- *Infarctus du myocarde*, 24 avril 2017, www.ameli.fr
- *Les IST (infections sexuellement transmissibles)*, www.info-ist.fr
- « Origin of the HIV-1 Group O Epidemic in Western Lowland Gorillas », Mirela D'Arc, Ahidjo Ayouba, Amandine Esteban, Gerald H. Learn, Vanina Boué, Florian Liégeois, Lucie Étienne, Nikki Tagg, Fabian H. Leendertz, Christophe Boesch, Nadège F. Madinda, Martha M. Robbins, Maryke Gray, Amandine Cournil, Marcel Ooms, Michael Letko, Viviana A. Simon, Paul M. Sharp, Beatrice H. Hahn, Éric Delaporte, Eitel Mpoudi Ngole et Martine Peeters, *Proceedings of the National Academy of Sciences*, 2 mars 2015
- *Que signifie VIH ? Sida ?*, 19 juin 2015, www.sida-info-service.org
- « Reactivation of 2 Genetically Distinct Varicella-Zoster Viruses in the Same Individual », Y. Taha, F. T. Scott, S. P. Parker, D. Syndercombe Court, M. L. Quinlivan et J. Breuer, *Clinical Infectious Diseases*, 15 novembre 2006
- « Recurrent Varicella-Zoster Virus Infections in Apparently Immunocompetent Children », A. K. Junker, E. Angus et E. E. Thomas, *The Pediatric Infection Disease Journal*, 10 août 1991
- « Retrospective Analysis of Hiccups in Patients at a Community Hospital From 1995-2000 », T. C. Cymet, *Journal of the National Medical Association*, juin 2002
- « Sida : on connaît désormais l'origine des quatre souches du virus », *Sciences et Avenir*, 3 mars 2015
- *Les Stress et vos intestins*, Société canadienne de recherche intestinale
- « Temperature-Dependent Innate Defense Against the Common Cold Virus Limits Viral Replication at Warm Temperature in Mouse Airway Cells », Ellen F. Foxman, James A. Storer, Megan E. Fitzgerald, Bethany R. Wasik, Lin Hou, Honyu Zhao, Paul E. Turner, Anna Marie Pyle et Akiko Iwasaki, *Proceedings of the National Academy of Sciences*, 12 juin 2014
- « Termination of Intractable Hiccups with Digital Rectal Massage », F. M. Fesmire, *Annals of Emergency Medicine*, août 1998
- « Histologie », *Larousse médical*, www.larousse.fr
- *Le Tétanos en France en 2005-2007*, Institut de veille sanitaire, 22 juillet 2008
- « The Efficacy of Duct Tape vs Cryotherapy in the Treatment of Verruca Vulgaris (The Common Wart) », D. R. Focht 3rd, C. Spicer et M. P. Fairchok, *Archives of Pediatrics And Adolescent Medicine*, octobre 2002
- *Topical Treatments for Skin Warts*, C. Kwok, S. Gibbs, C. Bennett, R. Holland et R. Abbott, *Cochrane*, 12 septembre 2012
- *Traité des tumeurs et des ulcères*, Jean Astruc, 1768
- *Le Traitement médical de l'aphte*, 11 mai 2017, www.ameli.fr
- *L'Ulcère gastroduodénal : définition et causes*, 15 juin 2017, www.ameli.fr
- *Les Verrues*, Société française de dermatologie, www.dermato-info.fr

Chapitre 6 : En piqûre ou en cachets
- *Les Antibiotiques sont souvent utilisés à tort*, 24 avril 2017, www.ameli.fr
- « Carences en vitamine C », Olivier Fain, *La Revue de médecine interne*, décembre 2004
- *Confiance et défiance vis-à-vis des vaccins*, Académie nationale de médecine
- *Diminution de la couverture vaccinale du nourrisson au premier semestre 2015*, Santé publique France, 13 janvier 2016
- *L'Évaluation des médicaments génériques*, Agence nationale de sécurité du médicament et des produits de santé, www.ansm.sante.fr
- *Microbiote intestinal et santé*, dossier de l'INSERM réalisé en collaboration avec Rémy Burcelin, février 2016, www.inserm.fr
- *Notice de l'aspirine du Rhône 500 mg, comprimé*, Agence nationale de sécurité du médicament et des produits de santé, mis à jour le 27 janvier 2010
- *Notice patient de l'amoxicilline Mylan Pharma 500 mg / 5 ml, poudre pour suspension buvable*, Agence nationale de sécurité du médicament et des produits de santé, mise à jour le 25 avril 2017
- « Observations et expériences sur la vertu de l'ambre jaune dans une maladie nerveuse de forme convulsive », Alexandre Gérard, docteur en médecine, *Journal de connaissances médico-chirurgicales*, nᵒ 1 à 6, 1842. « L'officine n'est pas un bazar », *En pratique*, Ordre national des pharmaciens, juin 2013.
- *L'Oubli de pilule*, Fil santé jeunes, www.filsantejeunes.com
- « Port de colliers de dentition chez le nourrisson », *Archives de pédiatrie*, volume 19, octobre 2012.
- *Les Progrès vers une défi d'éliminer la rougeole sont au point mort*, prévient l'OMS, OMS, communiqué du 13 novembre 2014
- *Le Syndrome de Guillain-Barré*, fiche de Maladies rares info services, octobre 2007, www.orpha.net
- *Tous les antalgiques*, Institut national du cancer, www.e-cancer.fr

- Vaccination, OMS, www.who.int
- Vaccination chez les adultes immunodéprimés, Santé publique France
- « La Vitamine C pour la prévention et le traitement du rhume banal »,
  H. Hemilä et E. Chalker, Cochrane, 31 mai 2013

Chapitre 7 : Des pieds et des mains
- Anatomie artistique, planches / description des formes extérieures
  du corps humain au repos et dans les principaux mouvements,
  Dr Paul Richer, Plon, 1890
- Cancer de la prostate, les facteurs de risque, Emmanuelle Manck,
  Institut Curie, 24 mars 2017, www.curie.fr
- « Chewing Gum Bezoars of the Gastrointestinal Tract »,
  David E. Milov, Joel M. Andres, Nora A. Erhart et David J. Baily,
  Pediatrics, août 1998
- Consommer 3 produits laitiers par jour ! Est-ce 3 produits laitiers
  quel que soit mon âge ?, Programme national nutrition santé,
  www.mangerbouger.fr
- Ejaculation May Lower Prostate Cancer Risk, School of Public Health,
  5 avril 2016
- Éjaculer régulièrement diminue-t-il le risque de cancer de la prostate ?,
  Fondation contre le cancer, 15 juillet 2015
- Facteurs de risque de cancer de la prostate, Société canadienne
  du cancer, www.cancer.ca
- La Femme sportive, spécificités physiologiques et physiopathologiques,
  Nathalie Boisseau, Martine Duclos et Michel Guinot, De Boeck,
  novembre 2009
- « Le Goût, ami ou ennemi de notre équilibre nutritionnel ? »,
  Science et Santé, magazine de l'INSERM, septembre et octobre 2016
- Histologie : les tissus. Chapitre 4 : les tissus conjonctifs,
  les tissus adipeux, faculté de médecine Pierre et Marie Curie,
  www.chups.jussieu.fr
- Histologie : les tissus. Chapitre 9 : les tissus musculaires, faculté
  de médecine Pierre et Marie Curie, www.chups.jussieu.fr
- Hypertension artérielle, dossier de l'INSERM réalisé en collaboration
  avec Alain Tedgui, janvier 2014, www.inserm.fr
- « Laits et produits laitiers dans la prévention et le traitement
  des maladies par carence », Charles-Joël Menkès, Bulletin
  de l'Académie nationale de médecine, 2008
- Ménopause, dossier de l'INSERM réalisé en collaboration
  avec le Dr Pierre-Yves Scarabin, octobre 2012
- Les Nutriments clés, Programme national nutrition santé
  www.mangerbouger.fr
- « Orgasme », définition du Centre national de ressources textuelles
  et lexicales, www.cnrtl.fr
- « Orgasme » définition du dictionnaire Larousse, www.larousse.fr
- « Polyclète (−480 env. – apr. −420) », Bernard Holtzmann,
  article de l'Encyclopédie Universalis en ligne
- The Almost Constant Ratio of Record Speeds for Women vs Men.
  Elite Athletes: A Comparison over Distances and Multiples Sports,
  Ira Hammerman, 2010

Chapitre 8 : Dans la tête ou dans les gènes
- Alzheimer, dossier de l'INSERM réalisé en collaboration
  avec le Pr Philippe Amouyel, juillet 2014, www.inserm.fr
- « An Evaluation of the Left-Brain vs Right-Brain Hypothesis with
  Resting State Functional Connectivity Magnetic Resonance Imaging »,
  Jared A. Nielson, Brandon A. Zielinski, Michael A. Ferguson,
  Janet E. Lainhart et Jeffrey S. Anderson, PLOS ONE, 14 août 2013
- Baromètre du numérique, équipements, usages et administration
  en ligne, Arcep, 2016
- La Biologie des origines à nos jours, Pierre Vignais, éd. EDP Sciences, 2001
- « Brain Connectivity Study Reveals Striking Differences Between
  Men and Women », Penn Medicine, 2 décembre 2013
- « Cerveau : se partager pour mieux penser », Yaroslav Pigenet,
  Le Journal du CNRS, 17 mars 2015
- « Charles Darwin », dans le dossier consacré à l'évolution,
  www.larousse.fr
- Clarification of Erroneous News Reports Indicating WHO Genetic
  Research on Hair Colour, OMS, 1er octobre 2002
- « Les enfants précoces ont-ils un cerveau différent ? »,
  Cléo Schweyer, Sciences pour tous, université Claude-Bernard
  Lyon 1, 15 septembre 2014
- « Gingers Face Extinction Due to Climate Change, Scientists Warn »,
  Christopher Hooton, The Independent, 7 juillet 2014
- « Has the Incidence of Brain Cancer Risen in Australia Since the
  Introduction of Mobile Phones 29 Years Ago? », Simon Chapman,
  Lamiae Azizi, Qingwei Luo et Freddy Sitas, Cancer Epidemiology,
  juin 2016
- Les Idées reçues, France Alzheimer et maladies apparentées,
  mis à jour le 6 juillet 2016, www.francealzheimer.org
- Is the Probability of Having Twins Determined by Genetics?,
  NIH US National Library of Medicine

- La Maladie d'Alzheimer, ministère des Solidarités et de la Santé,
  mis à jour le 7 avril 2017
- La Maladie de Parkinson, ministère des Solidarités et de la Santé,
  mis à jour le 7 avril 2017
- Mesure de DAS : publication des résultats pour 379 téléphones
  portables, 1er juin 2017, www.anfr.fr
- Pierolapithecus : ancêtre commun de l'homme et du singe ?,
  www.cite-sciences.fr
- Pourquoi votre QI ne dit pas grand-chose de votre intelligence
  (désolé Sharon)…, interview de Jacques Lautrey, 22 février 2013,
  www.atlantico.fr
- Prévention, Fondation vaincre Alzheimer, www.maladiealzheimer.fr
- Le QI serait en baisse, mais ce n'est pas si grave, Olivier Levrault,
  11 février 2017, www.lexpress.fr
- « Qui utilise 10 % de son cerveau ? », S. Larivée, J. Baribeau
  et J.-F. Pflieger, Revue de psychoéducation, 2008
- « Quotient intellectuel », article du Larousse médical, www.larousse.fr
- Researchers Debunk Myth of "Right-Brain" and "Left-Brain"
  Personality Traits, Health University of Utah, 14 août 2013
- Sexe, genre et santé, dossier de l'INSERM réalisé avec la collaboration
  de Jennifer Merchant, novembre 2016, www.inserm.fr
- « Si l'homme et le singe sont issus du même ancêtre, pourquoi le singe
  n'a-t-il pas évolué ? », L'Homme en questions, musée de l'Homme
- Le Syndrome de Gilles de La Tourette, fiche proposée par Maladies
  rares info services, www.orpha.net
- Tongue-Rolling: The Myth, John H. McDonald, University of Delaware
- Utilisation massive du téléphone portable et tumeurs cérébrales,
  communiqué de l'INSERM, 13 mai 2014, www.inserm.fr
- Vie et mort des neurones : un sujet plein de promesses, Fédération
  pour la recherche sur le cerveau, 21 septembre 2016

**Chapitre 9 : Du vin dans mon verre
et de l'air dans mes poumons**
- Activité physique, aide mémoire n° 384 de l'OMS, février 2017
- Alcool, page thématique de Santé publique France, 25 février 2016,
  www.santepubliquefrance.fr
- Alcool et santé, dossier de l'INSERM réalisé en collaboration
  avec le Pr Mickaël Naassila, mars 2016, www.inserm.fr
- « Association Between Eating Patterns and Obesity in a Free-Living
  US Adult Population », Y. Ma, E. R. Bertone, E. J. Stanck 3rd,
  G. W. Reed, J. R. Hebert, N. L. Cohen, P. A. Merriam et I. S. Ockene
  American Journal of Epidemiology, juillet 2003
- Cannabis, page thématique de www.drogues-info-service.fr
- Le CIRC classe les champs électromagnétiques de radiofréquences
  comme « peut-être cancérogènes pour l'homme », communiqué
  de l'OMS, 31 mai 2011
- Croissance et ses troubles, dossier de l'INSERM réalisé
  en collaboration avec Yves Le Bouc, juin 2013, www.inserm.fr
- La Digestion, vidéo du réseau Canopé, www.reseau-canope.fr
- « Eating Frequency and Body Fatness in Middle-Aged Men »,
  J. B. Ruidavets, V. Bongard, V. Bataille, P. Gourdy et J. Ferrières,
  International Journal of Obesity and Related Metabolic Disorders,
  novembre 2002
- Effets de la nicotine sur la neurotransmission cérébrale, INSERM
- Les Effets de la pollution, Airparif, www.airparif.asso.fr
- Effets sur la santé de la pollution de l'air en milieu urbain, OMS, www.who.int
- Emergency Disinfection of Drinking Water, United States
  Environmental Protection Agency, www.epa.gov
- « Endorphine », article du Larousse médical
- Féculents : à chaque repas, et selon l'appétit, Programme national
  nutrition santé, www.mangerbouger.fr
- Guide de la pollution de l'air intérieur, Santé publique France
- « L'OQAI a 10 ans », Bulletin de l'OQAI (Observatoire de la qualité
  de l'air intérieur), mars 2012
- Pollution de l'air à l'intérieur des habitations et la santé,
  aide-mémoire n° 292 de l'OMS, février 2016, www.who.int
- Pollution de l'air intérieur, Santé publique France,
  www.prevention-maison.fr
- « La qualité de l'eau de boisson du voyageur », Prescrire, mai 2000
- Radiofréquences, téléphonie mobile et technologies sans fils, effets
  sanitaires des technologies de communication sans fil et autres applications
  radiofréquences, Agence nationale de sécurité sanitaire de l'alimentation,
  de l'environnement et du travail, mis à jour le 14 juin 2017
- Santé sexuelle au féminin, Marie-Hélène Colson, Fédération française
  de sexologie et de santé sexuelle, www.ff3s.fr
- Se protéger en cas de pic de pollution de l'air, ministère
  des Solidarités et de la Santé, 14 décembre 2015
- Stress au travail, Institut national de recherche et de sécurité
  pour la prévention des accidents du travail et des maladies
  professionnelles, www.inrs.fr
- Tabac, comprendre la dépendance pour agir, expertise collective
  de l'INSERM, 2004

REMERCIEMENTS

- Dr Laurence ADDI, chirurgien-dentiste ;
- Dr Patrick ASSYAG, cardiologue ;
- Pr Alain ASTIER, pharmacien ;
- Dr Esther BLUMEN OHANA, ophtalmologue ;
- Pr Éric CAUMES, chef du service des maladies infectieuses et tropicales à l'hôpital de la Pitié-Salpêtrière ;
- Dr Arnaud COCAUL, médecin nutritionniste ;
- Dr José HABA RUBIO, neurologue et spécialiste du sommeil ;
- Dr Bruno HALIOUA, dermatologue et vénérologue ;
- Dr Hélène JACQUEMIN LE VERN, gynécologue ;
- Dr Bronislaw KAPITANIAK, chargé de l'enseignement du diplôme d'université d'ergonomie et de physiologie du travail à l'université Pierre et Marie Curie, à Paris ;
- Dr Alain RIGAUD, psychiatre et président de l'Association nationale de prévention en alcoologie et addictologie ;
- Dr Patrick SICHERE, rhumatologue ;
- Dr Linh VU NGOC, médecin du sport ;
- Prisca WETZEL-DAVID, sage-femme.

Direction générale : Fabienne Kriegel
Responsable éditoriale : Valérie Tognali
Suivi éditorial : Sandrine Rosenberg
Direction artistique : Claire Panel, sous la direction de Sabine Houplain
Mise en pages : Géraldine Lepoivre
Illustrations : Léna Piroux
Lecture-correction : Karine Elsener et Clémentine Bougrat
Fabrication : Marion Lance
Photogravure : APS Chromostyle
Partenariats et ventes directes : Zaïna Ait-Allala-Harzi (zaitallala@hachette-livre.fr)
Relations presse : Hélène Maurice (hmaurice@hachette-livre.fr)

Édité par les Éditions du Chêne
(58, rue Jean Bleuzen, 92178 Vanves Cedex)
Achevé d'imprimer en septembre 2017 par Unigraf en Espagne
Dépôt légal : octobre 2017
ISBN 978-2-81231-724-8
75/0223/3-01